회귀 경찰의 리셋 라이프

The Reset Life

회귀 경찰의 리셋 라이프 21

초판 1쇄 발행 2023년 4월 12일

지은이 ı 한길
발행인 ı 신현호
편집장 ı 이호준
편집 ı 송영규 최종건 정재웅 양동훈 곽원호 조정범 강준석 최성화
편집디자인 ı 한방울
영업 ı 김민원

펴낸곳 ı ㈜ 디앤씨미디어
등록 ı 2002년 4월 25일 제20-260호
주소 ı 서울시 구로구 디지털로 26길 111 JnK디지털타워 503호
전화 ı 02-333-2513(대표)
팩시밀리 ı 02-333-2514
E-mail ı papy_dnc@dncmedia.co.kr
블로그 ı blog.naver.com/gnpdl7

ISBN 979-11-364-4368-7 04810
ISBN 979-11-364-2581-2 (SET)

Papyrus Modern Fantasy

한길 현대 판타지 장편소설

회귀경찰의 리셋라이프 21

PAPYRUS
파피루스

1장. 목소리

목소리

"빨리빨리 움직여!"

"여기 마약 발견했습니다!"

"장부 발견했습니다!"

사건 현장을 수색 및 수습하려는 사람들로 가득한 보셀리 피에트로의 저택.

마피아 두목의 저택이기에 혹시 모를 사태를 대비한 FBI SWAT과 DEA의 은밀한 침투 및 제압 작전으로 인해 아무것도 하지 못한 채 제압된 보셀리 피에트로의 친위대와 보셀리 피에트로가 끌려가는 것을 바라보던 종혁이 담배를 문다.

"후우."

—사랑해! 널 이 느낌 이대로!

발신자를 확인한 종혁은 냉큼 전화를 받았다.

"예, 헨리."

헨리 스미스, CIA 동아시아 담당.

–축하드립니다, 최. 그리고 감사합니다.

"감사요?"

–덕분에 많은 수의 실업자들이 구제받았고, 뉴욕을 괴롭히던 마피아 중 하나가 괴멸됐잖습니까.

그뿐만이 아니다.

뉴욕의 밤을 지배하던 다른 마피아들도 현재 흔들리는 상태다.

보셀리 피에트로가 왜 건설 회사와 클럽, 콜걸 조직을 세웠겠는가. 만만하기 때문이다.

그건 다른 마피아들도 마찬가지다.

죄다 건설 회사나 클럽 하나씩, 콜걸 및 성매매 조직은 대여섯 개씩 가진 마피아들.

파라다이스 클럽과 WRM건설의 약진은 그들에게 제법 타격이 될 수밖에 없었다. 여기에 FBI와 NYPD가 콜걸 조직과 길거리 성매매 조직을 조졌다.

마피아들은 밑바닥부터 흔들리는 중이었다.

"그거 좋은 소식이네요."

–하지만 일시적인 현상이겠죠.

종혁은 동의를 했다.

스트립쇼 클럽, 불법적인 행위가 들어간 주류 유통 등 어두운 쪽으로 돈을 벌 궁리를 하면 정말 무궁무진한 게 뒷세계다.

보셀리 피에트로는 이들과 달리 겉으로 드러난 사업체의 규모가 워낙 컸기에 발목이 잡힌 거다.

'물론 이놈이 어두운 쪽에서만 살았다면 이미 예전에 따 버렸을 테지만…….'

―그래도 이 기생충들을 어떻게 낚아야 하는지 한 수 배웠습니다. 이로써 상부에 건의를 할 수 있을 것 같습니다.

그동안 종혁이 낸 성과라는 뚜렷한 증거가 있음에도 한국이기에 가능한 일이다라며 외면했던 CIA.

그런데 종혁이 미국에서도 성공을 했다.

아마 전담팀이 꾸려질지도 몰랐다.

"아, 그런 의미로 고맙다고 한 거군요?"

―미국이 이번에도 빚을 졌습니다.

"에이, 뭘 그런 걸 가지고……."

헨리는 본인이 해낸 일을 대수롭지 않게 여기는 종혁의 모습에 헛웃음을 터트렸다.

거리에 실업자가 넘쳐 나고, 있는 인원도 감축시키는 게 현재 미국의 상황이다. 그런데 종혁은 대규모 투자로 기업을 무려 4개나 살려 냈다.

그리고 제이미 골더들이 흡수할 보셀리 피에트로의 사업체들과 거기서 발생할 일자리 창출을 합하면 대체 몇 천, 몇 만 명이 이 어려운 경제 속에서 구원을 받는지 모른다.

정부도, 정치인도, 기업가들도 해내지 못한 걸 종혁이

해낸 거였다.

이건 결코 폄하될 일이 아니었다.

"아무튼 알겠습니다. 지금까지 깨어 계셨을 텐데 한숨 푹 주무세요."

—하하. 들켰나요? 알겠습니다. 언제든 필요한 게 있으면 제게 연락 주십시오.

"예. 들어가세요."

전화를 끊은 종혁은 다 피운 담배를 끄며 보셀리 피에트로의 저택 안으로 들어섰다.

꿈을 좇아 상경한 소녀를 짓밟고 유린하며 모은 돈으로, 지독히도 힘든 현실이 괴로워하는 사람들에게 주사기를 꽂으며 모은 돈으로 대체 얼마나 거대한 부를 이뤘는지 한번 보고 싶었기 때문이다.

"이야아……. 징글징글하게 모았네. 씹새끼."

종혁 본인의 기억이 틀리지 않다면 거실 중앙에 놓인 소파만 한화로 2억이 넘는 거다. 거기다 벽에 걸린 그림이나 사진들은 가격대가 최소 5천만 원 이상으로 형성되어 있는 작가들의 작품들.

"최."

종혁이 어이없어하던 그때, DEA의 앤드류 깁슨이 묘한 표정을 지은 채 그에게 다가왔다.

'정말 신이 축복을 하는 건가.'

어떻게 상황이 이렇게 딱딱 맞아떨어질 수 있게, 그것도 이쪽에게 유리하게 될 수 있을까.

앤드류 깁슨은 아무래도 이 모든 일의 배후에 종혁이 있는 게 아닌가 싶었지만, 그건 판타지에서나 가능한 일이기에 머릿속에서 의혹을 지워 버렸다.

"무슨 일이시죠?"

"아."

정신을 차린 앤드류 깁슨은 피식 웃었다.

"이번에도 또 움직일 건가?"

뉴욕에서 활동하던 마그마 록은 박살 났지만, 마그마 록에 마약을 공급하던 멕시코 조직이 남아 있는 한 언제든 뉴욕에 마그마 록 같은 조직이 또 생겨날 수 있었다.

공급책까지 모두 검거해서 마약 유통망 자체를 무너트릴 필요가 있었다.

"됐습니다. 마피아 소탕은 DEA가 알아서 잘해 주십시오. 하지만……."

종혁은 눈빛을 가라앉혔다.

"정치, 기업은 FBI 소관입니다."

시장을 비롯해 돈과 마약, 여자를 제공받는 대가로 보셀리 피에트로를 비호했던 정치인, 기업가, 대학 교수, 언론인, 인권운동가 등의 개새끼들.

시장부터 차례로 소환될 거다.

"……다시 한번 말하지만, DEA에 대해 진지하게 생각해 봐. 우린 언제나 환영이니까."

DEA 내부에서 추정하길 보셀리 피에트로를 감시하기 위해 종혁이 쓴 돈만 백만 달러가 넘을 거라고 했다.

그렇게 돈을 팍팍 쓰는 것도 모자라, 현재 전 세계 수사기관에서 차용한 수사기법을 창시한 사람이 부하로 온다?

대통령이 타는 방탄 리무진을 구해서라도 영접할 수 있었다.

"글쎄요. 순번이 될라나 모르겠네요."

"하핫. 그럼 다음에 보자고."

종혁은 멀어지는 그를 응시하다 다시 저택의 이곳저곳을 둘러보기 시작했다.

그러다 두 번째 거실의 벽난로 앞에 선 종혁은 벽난로 위에 올려진 액자들을 발견하고 입술을 비틀었다.

"이런 새끼들은 왜 이렇게 자기 인맥을 자랑하지 못해서 안달인지……. 얼씨구? 시장이랑 술집에서 찍은 사진도 있네?"

이 사진 한 장만 언론에 던져 줘도 시장의 정치 인생이 흔들릴 거다. 어차피 나가리는 확정이지만 말이다.

"지랄 났다, 지랄 났…… 응?"

종혁의 시선이 한 액자에 고정된다.

여름의 뉴욕인지 아니면 더운 지방에서 찍은 건지 몰라도, 야자수 아래에서 반팔 차림을 한 채 웃는 낯으로 히스패닉계의 오십대 남성과 악수를 하는 보셀리 피에트로의 사진.

그러나 종혁의 시선을 붙든 건 그들이 악수하는 모습이 아니다.

히스패닉계 남성의 뒤에 선 동양인.
핸드폰을 귀에 가져다 댄 동양인의 손에, 그것에 끼워진 반지와 손목에 새겨진 문신이 종혁의 시선을 붙들었던 거다.
알이 굵고 큰 검은 보석이 달린 금반지와 놈들 조직의 문양.
"……씨발?"
종혁의 눈동자가 파르르 떨렸다.

* * *

"건배!"
해가 저문 저녁, 맥주병들이 부딪친다.
뉴욕의 해충이었던 마그마 록의 일망타진.
그 조직원의 숫자만 200명이 넘어가던 대형 마피아.
마그마 록과 연관된 사람들을 소환해 관계 조사를 하려면 이제부터가 시작이긴 하지만, 오늘 하루쯤은 정시 퇴근을 해도 됐다.
FBI 뉴욕 지국 근처의 펍, 종혁은 안주 없이 맥주를 즐기는 동료들을 천천히 응시했다.
이리저리 움직이면서도 꼭 한 손엔 맥주병이나 술이 담긴 잔을 들고 다니는 게 미국의 독특한 문화 중 하나다.
'약을 경계하는 거지.'
한국에서는 어쩌다 한 번 일어나는 데이트 마약, 소위

물뽕은 이들 미국인에게 있어 일상이라고 할 수 있었다.
남자건 여자건. 경찰이건 FBI건.
남녀노소를 가리지 않는 물뽕.
그래서 이들은 무조건 자신의 술을 들고 다닌다.
'뭐 저렇게 조심해도 당하는 이들이 한 해에 몇 만, 몇십만 명이지.'
"최."
"보스."
"어때, 술은 좀 입에 맞나요?"
"제가 보스에게 물어야 할 말 같은데요."
굉장히 세련되고 강인한 이미지라 이런 펍이 어울리지 않는 그녀.
"아하핫. 그건 최도 마찬가지지 않아요?"
"전 아무거나 잘 먹어서요."
회귀 전, 사건 현장에 지원을 나갔다가 위장의 3분의 2를 도려낸 이후 음식에 한이 맺혔던 종혁.
'아, 그러고 보니까 원숭이 새끼 지금 뭐하지?'
종혁의 위장을 드러내게 만든 범인이자 빈집털이범 박상철. 원래라면 강도 살인을 저지를 놈이지만, 종혁에 의해 조기에 체포되며 역사가 바뀌게 됐다.
'뭔 업체에 취직했다고는 했는데…….'
생각난 김에 전화를 해 봐야 할 것 같다.
처벌을 받은 범죄자도 감시를 하는 게 경찰의 업무.
"고마워요."

“예?”

“덕분에 크리스마스 보너스가 두둑해 질 거예요. 물론 최에겐 코딱지보다 작은 액수일 테지만.”

“하하핫!”

캘리 그레이스는 종혁처럼 바에 등을 기대며 다시 입을 열었다.

“이번 사건이 마무리된 이후엔 어떡할 건가요?”

종혁의 인사 기록에 의하면 종혁은 매번 대형 사건을 끝내면 꽤 오랜 시간 휴가를 갔었다.

“아, 맞아. 안 그래도 휴가 때문에 말하려고 했습…….”

—태안…… 정유 유출 사고…….

“응?”

반사적으로 고개를 돌린 종혁은 그대로 굳어 버렸다.

‘태안 기름 유출 사고!’

이맘때 한국에 닥쳤던 끔찍한 인재(人災).

‘빌어먹을! 분명 경고했는데!’

삼전그룹뿐만 아니라 삼전중공업의 대주주가 된 권&박 홀딩스를 통해 안전 사고에 대해 조심해 달라 한 달에도 몇 번씩 경고를 했었다.

그것도 모자라 사고를 막을 인력을 태안에 투입했음에도 결국 사고가 터져 버렸다.

종혁은 기름으로 뒤덮인 바다를 보며 이를 악물었다.

“맙소사.”

“끔찍하네.”

술렁이는 펍에 캘리 그레이스도 어쩔 줄 몰라 한다.
“저, 저기 최의 나라 아닌가요?”
“후우. 아무래도 한국에 가 봐야 할 것 같습니다.”
“……다녀오세요. 최가 자리에 없다고 해도 최의 공훈은 사라지지 않을 테니까!”
“감사합니다.”
펍을 나선 종혁은 핸드폰을 들었다.
“권 이사! 예, 접니다. 지금 당장 태안으로 달려가 기름이 번지는 것부터 막으세요! 예, 당대표님! 저 종혁입니다!”
일단 저지선부터 확실하게 구축을 해야 됐다.

* * *

끼룩! 끼룩!
그저 맡는 것만으로도 눈앞이 아찔해지는 지독한 기름 냄새.
눈앞에 펼쳐진 검은 세상에 권아영이 망연자실한다.
죽음의 땅이다.
저 하늘을 날아다니는 갈매기들조차 내려앉지 못하는 죽음의 땅.
대체 뭘 어떻게 해야 되는 걸까.
뭘 어떡해야 이 풍요의 땅에 내려앉은 죽음을 거둘 수 있을까.
“일단 할 수 있는 건 다 했지만…….”

현몽준 당대표, 박노형 대통령, 박명후 대통령 후보를 움직여 저지선 구축을 완벽하게 해낸 종혁.

그녀가 한 일이라고는 저지선 구축에 필요한 물품과 2차 유출 사고를 막기 위한 물품을 구해서 정부에 전달한 것뿐이다.

그로 인해 다행히 저지선 구축과 2차 유출은 완벽하게 틀어막았지만…….

"아이고!"

"이걸 우짠디유! 야?! 우째에-!"

"아이고, 어무이!"

까득!

"미치겠네."

돈이 많으면 뭐할까.

인맥이 넘치면 뭐할까.

이 끔찍한 재앙 앞에선 그녀도 자연의 티끌인 사람일 뿐이었다.

아무것도 할 수 없다는 무력감과 분노가 전신을 짓누름에 그녀는 떨리는 손으로 담배를 물다 내려놓는다.

그리고 핸드폰을 든다.

"나야. 지금부터 삼전과 허베이 스피릿호의 주인을 공격할 팀을 꾸리도록 해. 자금은 무제한. 끊어."

이번 사태의 주범인 삼전그룹의 삼전중공업과 유조선 허베이 스피릿호를 소유한 홍콩 회사.

"대응을 잘해야 될 거예요, 회장님들. 안 그러면 내가 빡칠 것 같거든."

그땐 누가 말린다고 해도 이 세상에서 두 회사를 지워 버릴 거다.

'삼전중공업은 군더더기만 예쁘게 썰어 현몽준 당대표에게 선물로 줘도 되겠지.'

정치 행보를 보면 충분히 대통령이 될 수 있는 대현중공업의 소유주 현몽준 당대표.

하지만 이건 나중의 일이다.

"아이고오!"

심장을 쥐어짜는 절규에 권아영의 무릎이 후들거린다.

'어떡하지? 어떻게 해야 하지?'

아무것도 떠오르지 않는다.

아무것도…….

그저 주저앉아 통곡하는 사람들의 옆에 서서 말없이 위로만 건넬 뿐.

뚜욱!

그녀의 눈에서 눈물이 흘러내렸다.

"……훌쩍. 고맙구먼유."

이젠 울 기력도 없어 그저 망연자실 바다만 보는 인근 주민들 사이에서 일어나 다가온 칠십대 이장의 말에 권아영은 씁쓸히 웃었다.

"아니…… 에요."

"아닌 게 아니구만유."

사건이 터지자마자 서울에서 달려온 이 세련된 아가씨

가 사원들끼리 십시일반 모았다고 위로금을 전달하지 않았다면 어떻게 됐을까.

살아날 가능성이 없는 바다와 뻘에 목숨줄 놓는 사람이 여럿 생겼을 거다.

권아영은 그걸 막은 거다. 사람 목숨을 구한 거였다.

거기다 하루 동안 마을에서 먹고 자며 마을 주민을 다독이려 애썼다.

자신들 마을뿐만이 아니었다. 피해를 당한 태안의 모든 마을에 이 아가씨의 직원들이 파견되었다. 허무히 날아갈 생목숨을 몇이나 구했는지 모르겠다.

그런데 어찌 이장으로서 감사를 표하지 않을 수 있을까.

"제가 한 게 있을까요. 그보다 앞으로 어떡하실 건가요?"

이제 죽어 버린 바다고, 뻘이다.

50년 안에 살아난다고 해도 기적이라 불릴 거다.

그러니 산 사람은 살아야 했다.

"원하신다면 저희 회사에서 지원을……."

"괘, 괜찮구만유!"

안 그래도 많은 걸 받았는데 그런 폐까지 끼칠 순 없다.

"일평생 뻘이나 주워 먹고 살던 놈들이 다른 곳에 가서 뭘 하겠슈. 우리 동네 고향이니 어떻게든 살리려 노력해 봐야쥬."

부모님, 자식, 친구, 이웃이 묻힌 이 고향땅을 어찌 떠날 수 있을까.

"그러면…… 그러면……."

자신들의 정성에 하늘이 감동을 해 주면 기적적으로 바다가 살아날지 모른다.

그런 일말의 희망을 품고 견디고 이겨 내야 했다.

하지만…….

"어흑! 끄으윽! 어쩐디야! 진짜 어쩐댜-!"

그렇다고 한들 바다가 살아날까.

자신이 죽고, 아들이 죽고, 손자가 살다 죽어도 바다가 살아날까.

결국 이장이 울음을 터트리자 울 기력도 없는 사람들이 다시 울음을 터트린다.

왜 하필 자신들에게 이런 일이 일어난 걸까.

대체 하늘에 뭘 밉보였기에 이런 재앙이 닥친 걸까.

지독한 설움이 그들의 오장육부를 새까맣게 태워 갔다.

그 순간이었다.

"권 이사님."

"응?"

바람결에 날아온 목소리에 권아영이 귀를 의심한다.

아닐 거다.

지금쯤 미국에 있어야 할 종혁이, FBI에서 연수를 받고 있을 종혁이 어찌 여기에 올 수 있단 말인가.

그런데…….

척! 척! 척!

대지를 울리는 발소리.

"……!"

고개를 돌린 권아영은 곧 모습을 드러내는 종혁에, 그리고 그 뒤를 따르는 수만 명의 사람들의 모습에 털썩 주저앉고 말았다.

"수고했습니다. 앞으론 제게 맡기세요."

'보스-!'

어깨를 두드리는 따뜻한 손에 그녀는 끝내 참고 참았던 설움을 터트려 버렸다.

* * *

태안을 찾는 봉사자들! 그보다 먼저 도착한 행복의 쉼터!

재난에 두 팔을 걷어붙인 가출청소년들!

누가 이들을 불량아라 손가락질했는가! 가출청소년이 지핀 희망의 불씨!

행복의 쉼터 재단 권회수 이사장, '아이들이 먼저 가고 싶어 했다'.

막대한 기금을 출연한 권회수 이사장!

속속 태안에 닿는 도움의 손길들!

"크아! 냄새!"

"답답해도 마스크 똑바로 씁시다! 안 그러면 병원 갑니다!"

"보호복 찢어진 사람들 이쪽으로 오세요! 보호복 많습니다!"

태안의 해안가를 뒤덮은 검은색 기름들의 위를 덮은 새

하얀 물결들.

새하얀 보호복에 공기정화기가 달린 마스크를 쓴 사람들이 새하얀 흡착포로 기름을 닦아 낸다.

그리고 거대한 화물차들이 계속해서 현장 안으로 들어와 싣고 온 물품을 내려놓는다.

띠이! 띠!

“오라이! 오라이!”

“보호복과 마스크 도착했습니다!”

“핫팩 왔습니다! 얼른 가져가세요!”

“새참 왔어요! 드시면서 하세요!”

“와아!”

간식이라는 말에 그제야 굳은 허리를 펴며 뭍으로 향하는 사람들. 그 안엔 종혁도 있었다.

12월 겨울의 강추위에 얼어붙은 몸을 노곤하게 녹이는 뜨끈한 라면 한 그릇. 대용량으로 조리를 한 탓에 면발은 다 불어 터졌지만 꿀맛이 따로 없다.

“최 팀장.”

“엇! 충성!”

종혁은 제복을 입은 채 이쪽으로 걸어오는 노인들을 향해 얼른 거수경례를 했다.

경찰대학교와 경찰교육원, 중앙경찰학교의 교장들.

그리고 그 뒤에 도열해 있는 수천 명의 꼬꼬마들.

‘왔구나!’

합법적으로 24시간 굴려도 되는 노예들이 도착했다.

"이거 최 팀장이 건의한 거라며?"

"하하. 이 기회에 국민의 아픔에 공감하는 경찰, 그런 이미지를 가져가자는 거죠. 그리고……."

종혁은 교장들에게 귓속말을 했다.

"더 높은 곳으로 가셔야죠."

움찔!

"으하핫! 하여튼 최 팀장은 우리 경찰의 보배야, 보배!"

"하하."

머리를 긁은 종혁은 얼어 있는 후배들을 향해 다가갔다.

"경찰대 48기 경정 최종혁이다."

순간 경찰대 간부후보생도들의 눈빛이 돌변한다.

최종혁. 경찰대학교의 전설이자 경찰대 역사상 최고의 세대라 불렸던 황금세대 48기의 리더이며, 경찰 조직 역사상 유례없는 진급을 하는 괴물 같은 인물.

말로만 들었던, 소설 속에서나 존재할 거라 여겼던 선배가 눈앞에 나타나자 간부후보생도들의 눈빛이 초롱초롱해진다.

"전체-! 차렷! 최종혁 선배님을 향하여 경례!"

"충성-!"

"충성. 네가 4학년 수석이냐?"

"예! 그렇습니다!"

"오느라 수고 많았으니 일단 라면 한 그릇씩 때리도록 해. 그리고 경찰 간부가, 대한민국에서 경찰 간부가 되려면 어떤 존재여야 하는지 국민들에게 각인시켜. 경찰대를 쪽팔리게 하지 마라. 알았냐-!"

"충성!"

"최 팀장님-!"

"어? 나 피디님!"

나연석 PD뿐만이 아니다.

지금 한창 선풍적인 인기를 끌고 있는 국민 버라이어티 프로그램에 출연하는 연예인들과 윤아네 그룹, 준형이 형들, 연예인들이 함께 오고 있었다.

종혁은 그중 아는 얼굴들을 향해 손을 흔들어 주었다.

"종핵아!"

"삼촌-!"

"형님!"

태안의 재앙을 널리 알릴 방송국이 도착하는 순간이었다.

* * *

띠이! 띠!

"이쪽으로! 천천히! 아니, 이쪽으로-!"

숙소용으로 개조된 컨테이너들이 놓이는 공터.

전국에 있는 모든 컨테이너 숙소들을 끌어온 종혁은 두 동마다 하나씩 세워지는 간이 화장실과 간이 샤워실을 보며 고개를 끄덕였다.

"이 정도면 어느 정도는 감당하겠지."

아침에 와서 저녁에 돌아갈 생각으로 봉사를 오는 사람

들이 많지만, 그보단 아예 며칠간 숙박을 할 생각으로 오는 사람들이 훨씬 많다.

텐트를 가져온 사람도 있고, 근처 모텔을 잡은 사람들도 있다. 그런데 텐트에서 자다간 입이 돌아갈 정도로 날씨가 춥다.

좋은 마음으로 자원봉사를 하러 왔는데 병을 얻어야 되겠는가.

"징글징글하네. 야, 얼마나 썼냐?"

"글쎄요?"

종혁은 잠시 짬을 내서 내려온 오택수를 향해 어깨를 으쓱였다.

"지금까지 한 400억?"

수만, 수십만 명을 입힐 보호복에 마스크, 흡착포, 숙소, 간식 및 식사 등 아마 그 정도 썼을 거다.

그리고 앞으로도 이 이상 더 쓸 생각이다. 자원봉사자들이 봉사를 하는 것 외에 그 어떤 불편함도 느낄 수 없이 말이다.

"……미친."

"돈 벌어서 뭐합니까. 이럴 때 쓰는 거죠."

어머니 고정숙도 수억의 달하는 금액을 투척하기로 했다.

정말 언제나 자랑스럽고 존경할 수밖에 없는 어머니였다.

"캬! 역시 참된 졸부는 마인드부터 다르다니까!"

"예예. 알았으니까 얼른 올라가기나 하세요. 내일 중국에 가야 한다면서요."

종혁이 연수를 가면서 다른 팀에 지원을 나간 오택수. 중국으로 튄 사기꾼을 잡으러 가야 했다.

"하아. 그래. 가야지……."

발길이 떨어지진 않지만 가야 했다.

"아, 재수가 못 와서 미안하다고 하더라."

"아까 통화했습니다."

지금 베트남에 있느라 오지 못한 최재수.

"그래. 그럼 장미랑 와이프 잘 부탁한다."

오택수와 함께 온 딸 장미와 아내는 이곳에 남기로 했는데, 일단 올해가 다 가기 전까지는 태안에서 봉사를 하기로 했다.

종혁과 오택수는 잠시 둘이 잠든 컨테이너 숙소를 응시했다.

"걱정 마시고 가세요. 제가 여기에 있을 때까지는 잘 케어할 테니까."

그래 봤자 이제 고작 나흘밖에 남지 않았지만 말이다.

"그래. 간다."

종혁은 손을 흔들며 떠나는 오택수를 바라보다 담배를 물었고, 그런 그에게 강철선이 다가섰다.

"최 팀장아."

"어? 언제 오셨어요?"

"방금 도착했데이. 내가 뉴스에 너 나온 거 보고 얼메나 놀랐는지 아나?"

"큭큭. 그랬어요? 잠깐 스쳐 갔을 텐데 그건 또 어찌 보셨대?”
키득키득 웃던 종혁은 돌연 낯빛을 굳혔다.
“그래서 상황은요?”
“상황은 무신. VIP가 주목하는데 우리 회장님이라꼬 용빼는 재주 있겠드나?”
거기다 곧 대선이다.
대선 후보들 모두 이곳에 내려와 있는데 제아무리 삼전의 회장이라고 해도 사건을 묻을 순 없었다.
“우리 총장님도 그런 걸 용납할 분이 아이고.”
신문 기사에서만 겨우 삼전이라는 이름을 뺄 수 있었다.
“거기다 이번 사건은 우리 특수부에서 맡을 테니까 너무 걱정 말그래이.”
“……후우.”
다행이다.
회귀 전, 별다른 사과도 없이 이번 일을 질질 끌다가 6년이 지나고 나서야 겨우 보상을 한 삼전중공업.
수천억의 막대한 보상금을 지불하긴 했지만, 그땐 이미 수많은 자살자들이 나온 이후였다.
‘그 꼴을 볼 순 없지. ……나도 움직여야겠어.’
일단은 사과부터.
대선 결과가 나온 이후에서야 슬그머니 사과를 한 삼전 회장으로 하여금 사과부터 하게 만들어야 했다.
‘아무래도 이번에도 그럴 것 같으니까!’
“기부금 및 후원금 편취 사기가 성행할 겁니다.”

실제로도 그랬다.

당시 대통령이 된 박명후 대통령이 쉬쉬해서 그렇지 이 기름 유출 사고로 한몫을 잡으려는 놈들이 전국에 넘쳐났었다.

"에이. 사람이 우예 그랄…… 리가 있제."

어디 사기꾼이 사람이던가. 이런 절망적인 상황에서 더 활약하는 게 사기꾼이라는 개새끼들이다.

"알긋다. 그 부분도 신경 쓸게."

"부탁드릴게요. 저도 아는 형사들에게 말해 놓을게요."

"그래. 일단 씻어라. 해가 진 지 몇 시간이나 지났는데 꼴이 그게 뭐꼬?"

아직 보호복을 벗지 않은 종혁의 온몸과 얼굴이 기름투성이다.

"하하. 그래야겠네요. 저기 제 방에서…… 음. 제 방에 손님들이 좀 많을 텐데 괜찮으시겠어요?"

어제 촬영을 왔다가 아예 눌러앉아 버린 연예인들이 좀 있다. 대표적으로 준형이 형들이다.

"연예인? 오, 사인 받을 수 있는 기가?"

"하하. 가 계세요."

"오야. 빨리 오그래이."

고개를 끄덕이며 몸을 돌린 종혁은 핸드폰을 들었다.

"예, 권 이사. 납니다. 삼전중공업 압박 가능합니까?"

—이미 준비 끝났습니다, 보스. 내일이면 삼전의 회장님께서 대국민 사과를 하게 될 겁니다.

인내심이 떨어진 권아영이 결국 칼을 뽑아 들었다.
"……좋네요."
아주 좋다.
"그런데 문제가 되진 않겠습니까?"
삼전의 김 회장 성격이라면 참지 않을 거다.
-애초에 권&박 홀딩스의 이름으로 매입한 지분이 아니거든요.
"아하."
무슨 말인지 알아들은 종혁은 안심을 했다.
"그럼 이 문제는 권 이사에게 맡기도록 하죠. 그리고 물품이 부족하지 않도록 계속……."
"형님."
"잠시 후에 통화하도록 하죠."
종혁은 얼굴이 기름투성이인 순철의 머리를 쓰다듬었다.
"씻으면서 이야기하자."
"예!"
오랜만에 만난 둘은 서로의 어깨에 팔을 올리며 간이 샤워실로 향했다.
"이제 좀 있으면 경찰서로 가던가?"
"아무래도 서울청으로 가지 않을까……."

* * *

쏴아아! 쏴아아!

기름이 둥둥 떠 있음에도 여전히 좋은 소리를 내는 바다.

"후우."

달빛과 함께 유일하게 빛을 내는 작은 불똥을 잠시 입에서 때어 낸 종혁이 툴툴거린다.

"사람들이 말이야. 깡이 없어요, 깡이."

몸이 고돼서 그런지 죄다 몇 잔 마시지도 않았는데 뻗어 버렸다. 강철선도 마찬가지였다.

그래서 이렇게 혼자 술을 기울이러 나온 거다.

혀를 차던 종혁은 다시 입을 열었다.

"이젠 그런 취미도 생기셨어요?"

"……늙은 사람의 작은 장난 정도는 받아 줄 수 있어야 요즘 젊은이라 불립니다."

"세상에 그런 젊은이가 있다고요?"

"크흠."

어둠 속에서 현몽준 당대표가 걸어 나오자 종혁은 막걸리가 담긴 잔을 내밀었다.

꿀꺽꿀꺽!

"크으. 좋군요."

달빛 아래서 기울이는 막걸리 한 잔, 제법 운치가 있다. 코를 찌르는 기름 냄새만 아니라면 참 좋았을 거다.

그래도 둘은 잠시 말없이 술잔을 기울였다.

서로 말을 하지 않아도 기분이 좋은 관계, 사람들은 이를 두고 친구라고 말한다.

"제가 원망스럽진 않으세요?"

종혁이 조심스럽게 입을 뗀다.

이번 대선, 종혁 본인이 박명후에게 건넨 보물이 영향을 끼치지 않았다곤 볼 수 없다.

"글쎄요."

완전히 아니라고는 할 수 없다.

"하지만 그보단 결국 올 게 왔다는 느낌입니다."

참 많은 업적을 이뤘지만, 그만큼 실수도 한 박노형 대통령.

결정타는 아무래도 2배 이상 상승한 집값과 삭막해진 물가였다.

국민들에게 가장 중요한 걸 바로잡지 못했으니, 그 대가를 받는 것이었다.

뭘 어떻게 하려고 해도 박명후와의 지지율이 10퍼센트 이상 차이가 나니 당대표임에도 포기를 할 수밖에 없었다.

이건 민의였다.

거기다 그동안 박명후의 치명적인 치부였던 것들도 어느새 폐업을 하면서 진짜 주인이 누군지 알 수 없게 되어버린 상황.

차라리 현몽준 본인이 나섰다면 어땠을까 하는 생각마저 들 정도다.

그러나 아무리 생각해도 그건 아니었다. 아직 배워야 할 게 많았다.

그래서 종혁이 나머지 절반의 보물을 준다고 해도 잠깐 기다려 달라 한 거다.

"하지만 다음 대선은 다를 겁니다."
이번까지 배운다. 그런 다음 나선다.
종혁은 현몽준의 눈에서 타오르는 불길에 속으로 혀를 내둘렀다.
회귀 전과 달리 계속 진보 쪽 인사로서 권력을 지키며 국민들에게 지지와 사랑을 받는 현몽준. 이 사람이 정말 대통령이 될 수 있을까하는 기대감이 생긴다.
'이런 분이 대통령이 된다면 참 좋겠지.'
국민들에게도, 경찰에도 참 좋을 거다.
그래서 도울 생각이었다.
'앞으로 5년 후라…….'
여러모로 준비를 해야 할 것 같았다.
"이거 파이팅하시라고 선물이라도 드려야 하는 거 아니에요?"
"하하. 말만 들어도……."
현몽준은 종혁이 내미는 USB에 낯빛을 굳혔다.
"가서 보니 미국이 참 어렵더라고요. 믿을 만한 친구들에게 얻은 것이니 대비하시는 게 좋을 것 같습니다."
거의 IMF 시절 때처럼 치솟았던 환율.
곧 여기저기서 비명을 지를 거다.
"……난 참 복 받은 사람 같습니다."
현몽준이라고 지금 미국에서 일어나는 일을 모를까. 현재 한국 경제도 그에 조금씩 영향을 받는 중이다.
"마음 같아선 이 밤이 끝날 때까지 마시고 싶지만, 그럴 수 없게 되어 버렸군요. 한국엔 언제 다시 돌아옵니까?"

"한 10개월 후? 그 정도가 되지 않을까 싶은데, 저도 잘 모르겠습니다."

발을 뺄 수 없는 상황이 생기면 더 오래 있을지도 모른다.

"그럼 그때 보도록 하죠. 손님도 오신 것 같으니 난 먼저 일어나겠습니다."

저벅저벅.

종혁은 어둠을 뚫고 나타난 박명후의 모습에 살짝 놀랐고, 종혁에게 감사 인사를 하러 왔던 박명후도 종혁의 옆에 있는 현몽준의 모습에 놀랐다.

"이거 제가 두 분의 친교를 방해한 게 아닌가 싶습니다."

"하하. 아닙니다. 그럼."

종혁의 어깨를 두드린 현몽준이 멀어지자, 종혁은 박명후에게 방금 전까지 현몽준이 막걸리를 마셨던 잔을 내밀었다.

지난 사흘간 고생을 했는지 피부가 많이 푸석한 그.

"하하. 잘 마시겠습니다."

종혁은 넉살 좋게 웃으며 자리에 앉는 박명후를 향해 술을 따라 주었다.

"미리 당선되신 걸 축하드립니다."

"하하. 아직 투표를 하려면 멀었는데요. 그래도 그런 말을 들으니 기분은 좋군요. 최 팀장님이 이렇게 기대를 해 주시니 끝까지 힘내서 대통령이 돼 보도록 하겠습니다."

"제 친구들이 말하길 미국이 크게 흔들릴 거라더군요."

"……!"

박명후는 갑자기 훅 치고 들어오는 말에 눈을 부릅떴고, 종혁은 그런 그를 보며 눈빛을 가라앉혔다.

경제가 파탄 나면 자살자와 사기꾼이 득세한다. 그걸 막아야 했다.

물론 완벽히 막진 못할 테지만, 그래도 할 수 있을 만큼은 해야 됐다.

'거기다 광우병 파동도 있고.'

참 다사다난할 2008년을 떠올리니 한숨만 나왔다.

* * *

해가 떠오르자 다시 자원봉사자들로 인해 뒤덮인 태안 앞바다.

그 모습을 빤히 바라보던 종혁은 이곳에서의 마지막 담배를 끄며 몸을 돌렸다.

할 수 있는 건 다했고, 해야 할 것도 다했다.

이제 남은 건 태안이 다시 예전의 모습을 되찾을 때까지 저 온정의 손길이 끊기지 않도록 지원을 아끼지 않는 것뿐이다.

"끄으으! 그럼 이제 돌아가 볼까?"

미국으로. FBI로.

그곳에서도 사건이 기다리고 있었고, 놈들도 쫓아야 했다.

* * *

메사추세츠의 작은 도시 그린필드의 외곽의 작은 집.

뿌우! 뿌!

멀리서 들리는 경적 소리에 노인이 눈을 뜬다.

벌써 70년째 들리는 화물 기차의 소리.

습관적으로 옆을 보지만 아무 온기도 느껴지지 않는다.

"후우."

벌써 4년째 아내가 죽었다는 걸 받아들이지 못하는 자신의 모습에 그는 오늘도 씁쓸히 웃으며 몸을 일으킨다.

"좋은 아침이에요, 에덤 씨!"

"멍! 멍!

"좋은 아침이야, 셀리. 그리고 톰."

아무리 범죄가 잘 일어나지 않는 도시라지만, 집들이 듬성듬성 있는 이런 도시 외곽에 살면서도 매일 아침 운동을 하는 담력 좋고 부지런한 아가씨 샐리와 그녀의 작은 강아지 톰.

샐리가 태어났을 때부터 봤으니 이젠 손녀 같다.

"남자친구와는 좀 어때?"

"어제 헤어졌어요!"

"저런. 어쩌다."

"그 개자식이 바람을 피웠거든요! 나중에 봐요, 에덤 씨!"

샐리가 멀어지는 걸 흐뭇한 미소로 응시하던 노인 에덤은 주먹을 쥐었다 폈다 한다.

"내 샷건이 어디 있더라."

TV에 나오는 연예인들보다 더 공주 같은, 손녀 같은 아이를 두고 바람을 피웠으니 그 뻔뻔한 면상에 12게이지 납탄을 박아야 할 것 같다.

살벌하게 중얼거리던 그는 이내 곧 콧속으로 빨려 들어오는 새벽이슬을 머금은 풀잎 냄새에 잠시 눈을 감는다.

밤새 굳어 버린 낡아 빠진 육신과 정신을 깨우는 시간.

짧은 명상이 끝나자 에덤은 자신 같은 늙은이보다 더 잠이 없는 아이들이 배달해 준 신문과 우유를 들고 지팡이를 짚으며 집 안으로 들어갔다.

아침은 간단히 부드럽게 구운 베이컨과 스크럼블에그에 우유 한 잔. 이젠 나이가 나이라 이보다 더 양이 많거나 느끼한 것은 부담스럽다.

"다녀올게."

벽난로 위에 올려진 아내의 사진에 인사를 한 그는 그린필드 시내에 있는 마트로 출근을 했다.

"하, 봤어? 코카콜라가 1센트 오른 거? 그뿐만 아니라 다른 탄산음료들도 다 올랐어."

"뭐? 진짜?"

따악! 딱!

"아, 좋은 아침입니다. 에덤 씨."

"오늘도 같은 시간에 출근하셨네요."

8시 30분, 정각.

이젠 시계보다 에덤이 더 정확할 정도다.

"하하. 좋은 아침이야. 그런데 무슨 이야기 중이었어?"

자신과 같은 캐셔인 노라와 올디. 어린 시절 코네티컷 강에서 빨가벗고 수영하던 아이들이다.

"코카콜라 가격이 올랐대요. 아니, 식료품을 비롯해서 오르지 않은 게 없어요."

가격이 오른 지 반년도 안 되어 또다시 가격이 오른 거다.

1센트, 2센트, 10센트. 별거 아닌 액수지만, 이게 모이면 몇 달러, 몇 십 달러가 되어 버린다.

"미국 경제가 어렵다더니 정말인가 봐요."

물보다 싼 가격이기에 돈이 없는 서민들이 물 대용으로 많이 사 먹는 탄산음료의 가격이 오르니 미국 경제의 어려움이 몸소 느껴지게 된다.

"블랙먼데이 때는 어땠어요, 에덤? 그때도 이보다 더 심했나요?"

실실 웃는 모습을 보니 1987년의 블랙먼데이가 아니라 1929년의 경제대공황 블랙먼데이를 말하는 것 같다.

"글쎄…… 그땐 아버지 고환에서 헤엄치고 있을 때라 잘 모르겠군."

"푸핫!"

"호호호!"

"오늘 하루도 열심히 하자고."

싱긋 웃으며 자신의 계산대 안으로 들어가 앞치마를 걸친 에덤의 낯빛이 이내 흐려진다.

"앤서니가 충격을 받지 않으면 좋겠는데……."

일주일 모은 돈으로 초콜릿을 사러 오는 8살 소년 앤서니.

오늘 아침에 만난 샐리처럼 손자 같은 아이인데, 저번에 마트 물건의 가격이 일괄적으로 올랐을 때 초콜릿을 사러 왔다가 가격을 듣고 하얗게 질리던 모습이 아직도 눈에 선하다.

"빚잔치를 한 대가를 톡톡히 받는 것일 테지만……."

그래도 이러면 자신들 같은 서민들은 어쩌란 것인지 한숨만 나온다.

"부디 리먼에 있는 내 연금만은 무사하길."

지난 세월 부지런히 살아온 증거물인 연금.

물론 거대 은행인 리먼 브라더스가 무너지진 않겠지만, 그래도 나라 돌아가는 꼴을 보니 걱정이 든다.

띠리리리리!

고개를 젓던 에덤은 8시 50분, 마트 오픈을 알리는 종소리에 상념을 지우며 의자에 앉았다.

띠리리리리!

클로즈를 알리는 종소리가 울리자 앞치마를 벗은 에덤이 한 손에 두툼한 종이봉투를 끌어안으며 마트 밖으로 향한다.

“어? 뭘 그렇게 사셨어요? 오, 와인! 에덤, 와인 드실 줄도 아세요?”

“와인을 모르니까 서른이 되도록 연애를 못하는 게 아닐까, 올디? 이제 그만 올디 좀 구원해 줘, 노라.”

“제가요? 쟤랑요? 절대 싫어요!”

“끙!”

‘역시.’

자신에게 면박을 당한 것보다 올디의 거부에 더 충격을 받는 올디의 모습에 키득키득 웃으며 힘내라고 지팡이로 올디의 허벅지를 두드린 그는, 집으로 향해 부엌 탁자에 식탁보도 깔고 촛대를 꺼내와 촛불도 켜는 등 무드 있는 분위기를 연출했다.

오늘은 4년 전 죽은 아내와의 46주년 결혼기념일이자 아내가 죽은 날.

그에겐 일 년 중 가장 심장이 뛰는 날임과 동시에 가장 슬픈 날이다.

결혼을 했을 때 아내와 함께 3시간 동안 고민해서 산 와인잔에 와인을 따라 쥔 에덤은 옆에 놓은 아내의 사진을 향해 입을 열었다.

“오늘 어떤 일이 있었는지 알아, 메리?”

오늘뿐만 아니라 어제, 그리고 1년 전의 이야기가 에덤의 입에서 흘러나왔다.

댕! 댕! 댕!

그렇게 한참을 두런두런 이야기하던 에덤은 12시를 알

리는 종이 울리자 아쉬워하며 뒷정리를 시작했다.

다시 벽난로 위에 올려놓은 아내의 사진을 쓸어 내린 에덤은 한숨을 내쉬며 방으로 돌아가 침대에 몸을 뉘였다.

"잘 자, 메리."

오늘은 부디 꿈속에서라도 나타나길.

에덤은 간절히 바라며 눈을 감았다.

와인 한 병을 모두 비운 탓인지 그는 금세 곯아떨어졌다.

특별할 것 없는 늙은이의 하루가 그렇게 끝났다.

그렇게 얼마의 시간이 흘렀을까.

"모두 죽…… 너흰 해……."

'으음?'

술과 잠에 취한 몽롱한 정신 속, 귓가를 간질이는 목소리에 TV를 켜 놓고 잔 건가 눈을 뜨던 에덤이 눈을 부릅뜬다.

푸욱!

목 속을 파고드는 차갑고 뜨거운 무언가.

'누, 누구?'

달빛조차 스며들지 않은 방의 어둠 속 침대 옆에 누군가 서 있다.

"너흰 해…… 이야. 너희 같은…… 죽어야 해."

푸욱!

"컥! 커어억!"

이번엔 배를 파고드는 차갑고 뜨거운 칼.
눈앞이 새하얗게 물든다.
반항해야 한다.
살아야 한다.
그런 생존 본능이 그를 발버둥 치게 만들었다.
그런데…….
'메, 메리?'
새하얗게 물든 시야에 어떤 실루엣이 손짓을 한다.
4년 전 죽은 이후 꿈속에서라도 만나고 싶었던 아내.
에덤은 자신도 모르게 실루엣, 아니 아내를 향해 손을 뻗었다.
'아아, 이제 날 데리러 와 준 거야?'
에덤의 입가에 안도의 미소가 맺혔다.
푸우욱!

* * *

쾅!
양손 가득 도넛을 들었기에 문을 박차고 들어온 종혁이 크게 외친다.
"좋은 아침입니다!"
"좋은 아침이야, 최!"
"한국의 상황은 좀 어때?"
기름 유출 사고의 참상을 뉴스로 본 동료들이 안부를

물어 오자 종혁은 씁쓸히 웃었다.
"뭐, 곧 좋아지겠죠."
"그러길 바랄게. 도와주지 못해서 미안해, 최."
"뭘요. 도움은 이미 충분히 받았는걸요."
종혁이 태안에 간다니 십시일반으로 돈을 모은 동료들.
FBI가 한국에 기부를 했단 소식이 언론을 통해 밝혀지자 한국은 뒤집어질 수밖에 없었다.
"제가 센스가 없어서 선물은 못 사 왔거든요? 대신 도넛을 사 왔으니 좀 봐주세요!"
"오!"
"도넛이다!"
언제 긴급하게 출동할지 모르는 경찰들에게 있어서 간단히 배를 채울 수 있는 도넛은 훌륭한 식사 대용이다.
그런데 간단히 섭취할 수 있는 음식이 도넛뿐인 것도 아닌데, 왜 하필 미국 경찰들은 도넛을 주로 즐기게 된 것일까.
그 이유를 설명하자면 1950년대로 거슬러 올라가야 하는데, 당시엔 현재처럼 24시간 하는 마트나 편의점이 없었다.
그러나 도넛 가게는 24시간, 밤새 영업하는 곳이 많았으며 커피까지 판매했기에 야간 근무를 서는 경찰들에겐 큰 호응을 얻는 것이 당연했다.
문제는 이러한 24시간 영업이 무장 강도를 비롯한 범

죄자들의 타깃이 되기 쉽다는 것이었다.

계속되는 범죄에 견디다 못한 도넛 가게 주인들은 야간에 경찰관들에게 도넛을 무료로 제공하는 것이 어떻겠냐는 아이디어를 냈고, 그 의도가 정확히 먹혀들었다.

경찰들은 야간 근무 중에 무료로 도넛을 먹기 위해 도넛 가게에 자주 들르게 되었고, 도넛 가게는 자연스레 야간에 경찰이 상주하는 효과를 얻게 된 거다.

이후 수십 년이 지난 지금은 몇몇 가게를 제외하면 당시 같은 정책을 유지하는 곳이 얼마 남지 않았지만, 여전히 경찰들은 하나의 정착된 문화처럼 도넛을 즐기게 되었다.

"그런데 한국 대단하던걸?"

"맞아. 나 엄청 놀랐잖아."

재앙이 닥치자 태안으로 몰려들었던 수만, 수십만 명의 한국인들.

아무런 대가가 없음에도 자진해서 몰려드는 사람들을 보며, 어린아이부터 늙은 노인까지 몰려드는 걸 보며 그들은 감탄을 할 수밖에 없었다.

"한국은 원래 그래?"

"하하. 좀 그런 경향이 있죠."

나라에 받은 게 없어도 나라에 환란이 닥치면 분분히 떨치고 일어나는 민족, 한국인.

"원래 한국인이 정이 많아요. 나중에 한번 시간 되면 놀러 와요. 볼거리도 많고, 깜짝 놀랄 것도 많으니까."

"깜짝 놀랄 거?"

"카페 테이블 위에 주인 없는 노트북이 올려져 있어도 다음 날까지 사라지지 않는 거?"

"말이 돼?"

"뭐야. 한국은 절도가 살인과 같은 형량을 받는 곳이야?"

"7살 꼬마가 자기 혼자 알아서 학교까지 걸어간다는 소리를 들으면 쓰러지겠네요."

"……천국인가?"

"저희가 좀 그렇습니다, 흐흐."

괜스레 어깨에 뽕이 들어간 종혁의 입가에 미소가 맺혔고, FBI 요원들은 아무래도 종혁이 약을 파는 것 같다며 의심가득한 눈으로 쳐다봤다.

쾅!

"주목!"

종혁과 FBI 요원들은 사무실 문을 박차고 들어오는 캘리 그레이스를 쳐다봤다가 놀랐다.

차갑게 일그러져 있는 그녀의 얼굴.

"아, 최. 출근했나요? 수고했어요."

"감사합니다, 보스."

고개를 끄덕인 캘리는 다시 낯빛을 굳히며 입을 열었다.

"아무래도 놈이 다시 나타난 것 같다."

놈.

그들 수사팀을 괴롭히는 놈들이 한둘이 아니기에 의아해하던 요원들은 이내 이어진 말에 눈을 부릅떴다.

"카운트 살인마가."

"제기랄!"

순간 시끄러워지는 사무실.

얼마 전 보셀리 피에트로의 록 건설이 세무 조사를 받을 때 그들 FBI로 하여금 출동하게 만들었던 살인 사건.

결국 범인이 전 여자친구임이 밝혀졌지만, 일반적인 살인 사건에 FBI가 출동한 이유가 뭐겠는가.

바로 이놈, 카운트 살인마가 저지른 또 다른 범행인가 싶었기 때문이다.

"장소는 메사추세츠의 그린필드! 벤, 드롭! 그리고 최! 출발해!"

"예!"

도넛을 챙겨 든 그들은 사무실을 뛰쳐나갔고, 캘리는 종혁의 등을 보며 입술을 깨물었다.

'부디 최가 어떤 단서라도 찾을 수 있기를.'

이 카운트 살인마가 종혁을 FBI로 데려온 이유 중 하나였기에.

캘리는 간절히 기도했다.

* * *

삐용 삐용

"들어오시면 안 됩니다."

"빌리! 저, 정말 에덤 씨가 죽은 건가요?"

"아, 아니죠? 돌아가신 거 아니죠?"

이 자리에 모인 사람들 중 에덤에게 술 한 잔, 할로윈 때 사탕 한 번 받아 보지 않은 사람이 있을까.

그건 그들을 통제하는 경찰관 빌리도 마찬가지다.

법 없이도 살 수 있는 좋은 이웃이었던 에덤.

"……미안."

"아아!"

"누구야! 어떤 놈이야!"

절망하던 사람들은 이쪽으로 다가오는 SUV 한 대를 발견하곤 깜짝 놀랐다.

"FBI다!"

FBI. 미국 최고의 수사기관.

그들의 눈에 희망이 서리기 시작했다.

탁! 탁!

차에서 내린 종혁은 폴리스라인을 쳐 통제를 하는 현장을 둘러보며 눈빛을 가라앉혔다.

그건 다른 FBI 요원 벤과 드롭도 마찬가지다.

"빌어먹을. 집 안에서 당하다니. 부디 놈이 아니길 빌어야겠군."

놈이 맞다면 정말 골치가 아파지는 거다.

"일단 양 옆집과의 거리 약 20미터씩입니다."

"체크."

그들은 집 안으로 들어갔다.

아니, 들어가려고 했다. 벤의 손목을 붙잡는 경찰만 아니었다면 말이다.

“부디…….”

울먹임이 가득한 경찰, 빌리.

‘친분이 있었나 보군.’

따뜻이 웃은 벤은 빌리의 손등을 두드렸다.

“걱정 마십시오. 그러기 위해 온 거니까.”

그렇게 벤이 붙잡힌 사이 폴리스라인 안쪽으로 들어온 종혁은 앞마당 이곳저곳을 뒤지고 있는 과학수사팀을 향해 다가갔다.

“놈이 침입한 경로 찾았습니까?”

종혁이 내민 FBI 신분증에 고개를 끄덕인 요원이 입을 열었다.

“일단 놈은 이렇게 정문까지 난 길을 따라 당당히 정문을 열고 들어온 것 같습니다.”

앞마당의 잔디가 짓눌린 흔적이나 집 뒤쪽에서 침투한 흔적이 없고, 현관문을 강제로 연 흔적이 있다.

“강제로요?”

“정확히는 락픽(Lockpick) 같은 걸로 열었습니다.”

종혁은 드롭을 봤다.

얼굴이 딱딱하게 굳어 있는 드롭.

만약 이번 살인이 놈의 범행이 맞다면 새로운 정보가 추가되는 거다.

뉴욕주에서 네 번, 코네티컷에서 한 번, 뉴햄프셔에서 한

번, 로드아일랜드에서 한 번, 이번까지 총 8번의 연쇄살인을 저질렀음에도 별다른 단서를 남기지 않은 치밀한 놈.

입술을 깨문 종혁은 안으로 들어가 피해자가 살해를 당한 안방으로 향했다.

그곳에도 과학수사팀의 요원들이 있었다.

“뭐 좀 발견된 게 있습니까?”

“일단 확보한 현장 증거나 시신을 검시해 봐야겠지만…….”

별다른 건 없을 것 같다는 듯 과학수사팀의 요원이 고개를 젓는다.

“후. 발견 당시의 사진 좀 보죠.”

오늘 아침 발견되어 현재 과학수사팀으로 이송된 에덤 필.

종혁은 과학수사팀이 넘긴 사진을 보곤 눈을 질끈 감았다.

목의 경동맥에 꽂혀 있는 칼 한 자루.

그리고 여덟 개의 상흔이 남은 상체.

“빌어먹을! 놈이 맞잖아!”

“FUCK! Damn it!”

목에 꽂힌 칼과 8개의 상흔. 이건 놈의 시그니처다.

첫 번째는 목에 칼이 꽂힌 채 하나의 상흔만 새겨져 있었다. 그리고 일곱 번째 피해자에겐 목에 칼이 꽂힌 채 일곱 개의 상흔이.

그리고 이번에는 여덟 개다.

즉, 자신이 여덟 번의 살인을 저질렀다는 메시지.

놈은 그렇게 자신의 범행을 자랑하고 있었다.
"잡아 볼 테면 잡아 보라고……."
뿌드득!
"하하. 이 개새끼가……!"
'넌 잡히면 뒤졌다.'
목을 꺾은 종혁의 눈이 살의로 번들거리기 시작했다.

* * *

카운터 살인마.
이런 외곽처럼 인적이 드문 길이나 공원 같은 곳에서 납치를 하듯 손으로 입을 막고 경동맥에 칼을 꽂아 무력화시킨 후 깊숙한 곳으로 끌고 가서 사람을 무참히 살해한 개새끼.
그런 놈이 집 안으로 들어왔다.
"놈이…… 살해의 재미를 더 중요시하게 된 것 같네요."
"빌어먹을!"
이래서 부디 아니길 빌었던 거다. 그렇지 않아도 이런 메시지를 남기며 경찰과 FBI를 우롱하던 놈이 더 괴물이 됐으니 말이다.
놈의 수법이 갑자기 돌변, 아니 진화한 거다.
'그러며 안전을 꾀하게 됐어.'
사방이 막혀 누구의 방해도 받지 않는 집이라는 공간.
야외에서 스릴을 즐기던 놈이 갑자기 사방이 막힌 공간

으로 들어온 거다. 분명 무언가 계기가 있었을 터.
"설마 저번 살인 때 방해를 받은 건가?"
"아!"
감탄한 드롭은 얼른 핸드폰을 꺼냈고, 종혁의 눈빛이 차갑게 가라앉았다.
적을 알고 나를 알면 백전불태라고 했다.
종혁은 피로 물든 침대와 발견 당시의 시신 사진을 응시했다.
"반항의 흔적이 미약해."
벤의 말에 종혁은 고개를 끄덕였다.
"맞아요. 피해자가 무력화될 때까지, 즉 잠이 깊게 들 때까지 기다렸다가 침입해 죽인 겁니다."
놈은 이번에도 경동맥에 칼을 꽂아 넣어 피해자를 무력화시킨 후 상체에 칼을 찔러 넣었을 거다.
천천히, 그리고 즐기듯.
토악질이 나올 정도로 끔찍한 악의가 느껴졌다.
"그럼 지켜봤다?"
정답이다.
놈은 가까운 곳에서 에덤 폴을 지켜봤다.
"드롭!"
"빌어먹을! 가고 있어!"
드롭이 탐문 조사를 위해 밖으로 뛰쳐나가자 종혁은 과학수사팀의 요원을 붙들었다.
"놈의 족적이 나왔습니까?"

"……예. 따라오세요."

과학수사팀의 요원은 현관문에서 거실 방향으로 찍힌 족적을 가리켰다.

"일단 신발이 뭔지는 찾아봐야 알겠지만……."

"잠깐만요."

종혁은 현관문과 족적의 거리를 살피다 발을 내디뎠다.

그에 벤이 깜짝 놀랐다.

"어? 보폭이……."

"예. 큽니다."

놈은 마치 자기 집에 온 것처럼 아무런 조심성 없이 발을 내디뎠다. 이건 이 집에 자신을 방해할 사람이 없다는 걸, 에덤 폴이 잠들었다는 걸 완벽하게 인식을 하고 있었단 소리다.

"역시 치밀하고 과감한 성격이야."

"예. 평소에도 자신감이 넘칠 겁니다."

"체크."

"신장은 저번처럼 대략 5피트 5인치에서 6피트 사이."

최소 170cm에서 최대 185cm 사이. 사람의 보폭을 보면 키도 어느 정도 추정된다.

"몸무게가 얼마로 추정된다고 했죠?"

"145파운드에서 165파운드 사이!"

65kg에서 75kg 사이다.

신발 사이즈는 한국식으로 하면 255다.

'애매하네.'

아직도 남자인지 여자인지 애매하다. 덩치가 큰 여자일 수도 있고, 보통 체격의 남자일 수도 있다.

종혁은 몸을 돌려 집 밖으로 나갔다.

"에덤 폴 씨가 매일 나오던 그 시간에 나오지 않아서 의아해했다는 거죠?"

"네, 문을 두드려도 인기척이 없고…… 연세도 있으시니까 혹시나 해서 안방 창문으로 봤더니……. 그, 그랬더니…… 흑!"

최초 발견자이자 신고자인 샐리라는 여성.

'162? 작지만…….'

일단은 종혁은 그녀도 용의선상에 올렸다. 최초 발견자이자 신고자가 범인인 경우가 제법 많기 때문이다.

"혹시 못 보던 차를 보신 적은 없으신가요?"

"아니요."

"처음 보는 사람이 동네에 나타난 적 있습니까? 키가 큰 여성이거나 보통 크기의 남성을……."

샐리에게서 시선을 돌린 종혁은 안방 창문을 등지며 주위를 둘러봤다.

거대한 숲에 둘러싸여 듬성듬성 세워진 집들과 그 앞에 세워진 차들. 참 구석진 작은 동네라는 게 몸소 느껴진다.

"거실과 안방의 불빛이 모두 보이는 장소는 저쪽인가?"

굳이 집 안으로 들어가서 보지 않아도 에덤 폴이 잠들었음을 확인할 수 있는 방법. 그건 바로 불빛이었다.

놈은 불이 켜지고 꺼지는 걸로 에덤 폴이 잠든 걸 확인하고 범행을 저질렀을 확률이 높았다.

"최, 피해자는 평상시 아침 8시에 집을 나서서 6시쯤에 퇴근을 한다고 해. 직장은 그린필드 시내에 있는 마트. 집에 도착하는 시간은 거의 7시 전후. 이동 수단은 버스."

"처음 보는 차나 사람을 봤다는 사람은 없고요?"

"현재까지는."

집과 집 사이에 거리가 있지만, 이런 구석진 동네의 특징이 있다. 바로 한국의 시골처럼 서로 비밀이 없다는 거다.

이런 작은 규모의 커뮤니케이션 그룹에 이물질이 들어왔다면 하루도 안 되어 퍼질 수밖에 없었다.

"그럼에도 거동수상자를 못 봤다는 건……."

종혁은 다시 주위를 둘러봤다가 눈을 빛냈다.

'설마 숲?'

숲이다. 숲이 있었다.

종혁은 곧바로 몸을 날렸고, 그 모습에 같은 걸 떠올린 벤도 함께 몸을 날렸다.

촤라락. 촤라락.

종혁의 몸에 부딪쳐 흔들리는 수풀들.

종혁은 오직 아래만 보며 천천히 발을 내디뎠다.

그렇게 얼마나 이 잡듯이 뒤졌을까.

움찔!

"……찾았다."

족적. 에덤 폴의 집 안에 남은 족적과 똑같은 것이 흙바닥에 찍혀 있었다.

몸을 돌린 종혁은 미소를 지었다.

보였다. 피해자 에덤 폴의 집이.

"최! 여기 다른 족적이 있어!"

마을이나 시내 방향이 아니라 숲 안쪽으로 나 있다.

'그렇지!'

뿌우! 뿌-!

화물 기차의 경적 소리가 종혁의 발견을 축하하듯 길게 울렸다.

그런데…….

"빌어먹을!"

"FUCK!"

혹여 족적이 훼손될까 조심스럽게 그 족적을 쫓던 그들은 갑자기 눈앞에 나타난 넓은 자갈길, 아니 기찻길에 머리를 쥐어뜯었다.

왼쪽 지평선에서 오른쪽 지평선까지 쭉 이어진 기찻길.

"……그래. 어쩐지 쉽다 했다."

지랄 염병이었다.

종혁은 마찬가지로 암담해하는 이 지방 경찰들을 향해 싱긋 웃었다.

"병력 총동원하세요. 지금부터 수색에 들어갑니다."

놈이 기찻길을 따라 걸었는지, 이 기찻길을 넘어 맞은 편 숲으로 갔는지부터 기찻길을 따라 걸었다면 어느 방향으로 걸었는지, 어디까지 걸었는지, 중간에 새지 않았는지 등 모든 가능성을 열어 놓고 놈이 남긴 흔적을 찾아야 했다.

혹여 놈이 갈아입었을지 모를 옷가지까지도.

이런 종혁의 말에 경찰들의 얼굴이 하얗게 질렸다.

"벤도 지원 요청하고요."

"알았어!"

수백, 아니 어쩌면 수천 명이 필요할지도 몰랐다.

* * *

"컹! 컹!"

경찰견까지 동원된 이틀간의 수색.

400여 명의 병력이 동원되어 반경 2킬로미터를 이 잡듯 뒤졌지만, 놈의 각질 하나 찾지 못했다.

그로 인해 놈은 기찻길을 따라 움직였다는 정황이 거의 확실시됐고, 놈이 인내심과 체력이 많다는 걸 또 한 번 확인했을 뿐이었다.

"필립, 뭐 좀 나온 거 있어요?"

"아, 벤. 똑같지, 뭐."

싸늘하다 못해 춥기까지 한 검시실. 칠십대의 늙은 검

시관은 하얀 면포를 덮은 채 싸늘한 철제 테이블 위에 누운 에덤 폴의 목을 가리켰다.

"단번에 경동맥을 찌르고……."

그다음은 위를 찔렀다.

"그리고 이렇게 순서대로. 전과 똑같이 피해자가 살아 있을 때 찔렀어. 그래도 마냥 아프고 괴롭진 않았을 거야."

"왜죠?"

"갈 때 죽은 아내를 만났을 테니까."

종혁은 행복한 미소가 가득한 에덤 폴의 얼굴을 보며 이를 악물었다.

'얼마나 아팠을까.'

대체 얼마나 아팠기에 이렇게 웃게 된 걸까.

사람이 극한의 고통을 받으면 뇌에서 뿜어지는 마약, 엔도르핀. 에덤 폴은 너무 아픈 나머지 엔도르핀이 분비된 게 분명했다.

일단 사람이 배를 찔리면 온몸에 힘이 풀린다.

그리고 한 10초 뒤에 오장육부가 뒤틀리다 못해 횃불로 배 안을 지져 버리는 듯한 끔찍한 고통이 찾아온다.

맞아 봐서 안다.

이 고통 때문에 PTSD가 와서 경찰을 그만두는 사람이 많다.

그런데 피해자 에덤 폴은 살아 있는 동안 이런 칼을 여덟 번이나 맞은 거다.

"얼마나 괴로웠을까……."

그래도 다행이다. 엔도르핀이든 뭐든 덜 아팠을 테니까.
빠드득!
종혁의 눈빛이 차가워진다.

* * *

"빌어먹을!"
쾅!
FBI 뉴욕 지국의 사무실로 돌아온 벤과 드롭은 자기 책상에 FBI 점퍼를 집어 던진 후 탕비실로 향했고, 종혁도 자리에 앉아 눈을 감았다.
놈은 인내심과 체력이 많을 뿐 아니라 살해 흉기를 트로피 삼아 가져갔다.
목에 꽂힌 후 다시 뽑히지 않은 칼.
놈은 다른 칼로 피해자의 상체를 찔렀고, 이 흉기가 발견되지 않았으니 답은 하나다. 놈이 가져간 거다.
'피가 묻은 채로 가져갔겠지. 피조차도 훈장일 테니까.'
어디로 갔을까. 어떻게 갔을까.
"서쪽으로는 뉴욕주로 향하는 기찻길, 동쪽으로는 시내 방향의 화물역을 겸하는 기차역."
'화물이 내리는 건 하루에…… 아니, 이건 필요 없지.'
종혁은 집중을 하자 무한대로 뻗어 나가는 마인드맵에서 쓸데없는 정보들을 삭제시켰다.
서쪽으로 튀었다면 찾을 길이 없고, 동쪽으로 튀어도

마찬가지다. 화물역 근방에서 벗어나 그린필드 시내에 스며들면 셜록 할아버지가 와도 못 찾는다.

기차역 안을 제외하면 기차역 반경 50미터가 CCTV 공백 지대.

기차역 안에도 CCTV는 겨우 세 대. 두 대는 선로 쪽에 설치되어 있고, 나머지는 기차역 안에 설치되어 있다.

선진국인 미국이라지만 이런 것들은 참 부족했다.

심지어 시골 도시라서 그런지 블랙박스를 단 차량도 거의 없다. 일단 화물역 근방엔 단 한 대도 없었다.

"하, 새끼. 진짜 치밀하고 운 좋네."

이 정도로 노력을 기울였으면 대충 윤곽이라도 나와야 하는데, 여전히 안개에 둘러싸여 있다.

오랜만이다. 작정하고 프로파일링을 했는데도 남자인지 여자인지도 나오지 않는 건.

범인이 남자인지 여자인지, 몇 살인지, 머리색은 어떤지, 직업은 뭔지, 아무것도 드러나지 않은 상태.

심지어 피해자들 사이에 연관성도 없다.

'첫 번째 살해 피해자는 흑인 여성. 뉴욕주 올버니시의 무용학원 파트타임 강사. 일을 마치고 귀가하던 중 살해.'

여러 남자를 만났다는 증언이 있었지만, 딱히 누군가의 원한을 산 거 같진 않았다.

두 번째 피해자는 뉴햄프셔 클레어몬트의 홈리스. 성별은 남성이고, 백인. 나이는 쉰셋. 걸프전 참전 때 지뢰에 의해 한쪽 다리를 잃었고, 의가사 제대 후 이런저런 이유로 홈리스가 됐다.

"세 번째 피해자는 다시 뉴욕주…… 아오, 씨!"

이렇듯 성별이나 나이, 외모, 인종 등 아무런 연관성이 없다. 피해자들의 과거를 모두 뒤져도 서로 겹치는 부분이 없다.

그런데 놈은 이렇게 접점이 없는 사람들을 무참히 죽인 거다. 그것도 4개 주를 돌아다니며.

이러니 놈의 거점이 어딘지도 모르는 거다.

"미 동부의 고속도로가 있는 도시라는 게 유일한 공통점이지……. 시발, 이게 뭔 의미가 있어."

미국도 한국과 마찬가지로 일단 고속도로에 올라타면 미국 어디든 갈 수 있다. 고속도로는 의미가 없다.

게다가 놈은 결코 충동적으로 살인을 저지르는 게 아니다. 범행 대상을 물색하고 감시하며 때를 기다리고 있다가 살해를 하는 지능적인 놈이다.

살인이라는 쾌락의 본능을 다룰 줄 아는 놈.

그런데 한 가지 의문이 든다.

"하. 이놈 정말 뭐하던 새끼지?"

놈은 첫 번째 피해자부터 경동맥에 칼을 찔렀다. 그것도 정확히.

일단 용의선상에 오른 건 도축업자나 살인 경험이 있는 특수부대원. 그래서 FBI는 첫 번째 범행이 발생했을 때 그들의 알리바이부터 확인했다.

'아니면…….'

"에이, 아니겠지."

아니어야 한다.

이런 말도 안 되는 생각이 맞다면, 첫 번째 피해자는 결코 첫 번째가 아니게 되어 버리니 말이다.

그러니 놈이 살인을 통해 학습을 했다는 건 절대 아니어야 했다.

"최."

종혁은 사무실에서 고개만 내밀어 손가락을 까딱이는 캘리 그레이스에게 다가갔다.

"뭐 좀 나왔어요?"

종혁은 고개를 저었다.

"그저께 보고 올린 것 외엔 아무것도 나오지 않았습니다. 아, 범인이 대머리일 확률이 있긴 하네요."

사건 현장에서 모발이나 체모가 발견되지 않았다.

"거시기까지 스프레이나 젤로 고정을 한 게 아니면 대머리일 확률이 높습니다. 아니면 브라질리언 왁싱을 받았거나."

"브라질리언 왁싱?"

'아, 지금은 없는 단어인가?'

"왁싱이요. 여기랑 여기 털을 밀어 버리는 거. 여자들이 잘하는 거요."

"풉!"

면도기로 사타구니를 미는 시늉에 커피를 뿜은 캘리는

사레 들린 기침을 하며 종혁을 노려봤다.

"아무리 여자들이 털을 민다지만 거기까진 밀지 않아요. 특이한 취향이 있지 않은 이상!"

"확실히 색다르긴 하죠."

뭐 이런 놈이 다 있냐는 듯 종혁을 봤던 캘리는 한숨을 내쉬었다.

"그럼 결국 톨게이트 CCTV를 다시 뒤져야 한다는 거군요."

사건 발생 한 달 전부터 도시 안으로 들어온 차량을 모두 검사해야 한다. 그래서 겹치는 번호판이 있는지 알아내야 한다.

이렇게 머리를 쓰는 놈이면 그 번호판도 바꿔 버렸을 것 같지만, 그래도 일단 해야 됐다.

"놈은 꽤 오랜 시간을 들여서 범행 대상을 골랐을 겁니다. 사건 현장 근방 4킬로미터 내의 모든 숙박 시설도 뒤져 봐야 합니다."

"……가능하겠어요?"

"뭐 하루 20시간씩 뒤져 보면 뭐라도 나오지 않겠습니까?"

"한 도시당 두 달은 걸릴 것 같은데요……. 아니, 그 전에 쉬는 날 없이 하루 네 시간씩 자면서 두 달 동안 일하면 죽어요."

"안 죽습니다. 해 봐서 압니다."

"대체 한국은 어떤 나라인가요……."

대체 어떤 나라이기에 이 어린 청년이 그런 경험을 해 본 걸까.

'에이, 겨우 이 정도 가지고. 한국 고등학생이 어떻게 공부하는지 들으면 쓰러지겠네.'

물론 공부에 열의가 있는 학생들에 한해서다.

"원래 형사는 발로 뛰는 거 아니겠습니까? 저 빼고 7명만 더 붙여 주세요."

한 사람당 도시 하나씩. 두 달 동안 죽어 보는 거다.

'이놈의 인식 프로그램은 대체 언제 개발되는 건지.'

그러려면 CCTV 화질부터 높아져야 할 테지만, 인식 프로그램이 없으니 죽을 맛이었다.

'CIA에는 있을 것 같은데…….'

종혁은 눈을 가늘게 떴다.

"알았어요. 인력을 붙여 주죠. 그나저나 다음 주면 크리스마스네요. 일이 있나요?"

"……미국은 참 좋네요. 크리스마스도 챙기고."

어디 형사에게 크리스마스가 있을까.

물론 회귀 후에는 명절이나 공휴일은 무조건 챙기려 노력하지만, 원래 형사에겐 그딴 건 없는 거였다.

"진짜 한국에 가 보고 싶네."

"하하. 별일은 없습니다. 그냥 아침에 밥 먹으면서 캐빈, 아니 그 범죄자나 보지 않을까요?"

"한국인도 캐빈을 보는 건가요……. 그런데 범죄자요?"

"과잉 진압이요. 그거 방어용으로 쓴 소품들만 사소하

지, 함정 장치들이 아예 죽으라는 거였잖습니까.”

“하지만 그 두 도둑이 침입을 하지 않았으면 그렇게 다칠 염려도 없죠!”

“……아, 여기 미국이지.”

법이 다르다는 게 여기서 확실하게 느껴진다.

“그런 의미에서 그 두 도둑, FBI에 스카우트하면 좋을 것 같지 않습니까? 그 정도면 나름 똑똑하고, 깡도 좋고, 맷집도 인간을 벗어났고.”

“확실히…….”

둘은 이런저런 이야기를 나누며 머리를 아프게 하는 생각을 잠시 잊었다.

* * *

“룰루.”

해가 저무는 오후, 등 뒤에서 비추는 황혼에 온몸이 가려진 한 그림자가 콧노래를 부르며 차고로 향한다.

차를 지나 차고 안쪽으로 들어간 그, 혹은 그녀.

공구 따위를 넣는 붉은 서랍장의 맨 아래 칸을 연 그는 돌돌 말린 커다란 가죽 꾸러미를 꺼냈다.

촤라락!

선반 위에 펼쳐지는 칼의 향연들.

그는 그 16자루의 칼 중 하나, 굳은 피가 잔뜩 묻은 칼을 코로 가져갔다.

"흐으읍. 하아."

오늘 하루 쌓인 모든 스트레스가 풀리는 기분.

그의 정신이 마치 약을 한 듯 몽롱하게 풀리며 붉은 입술 사이로 하얀 김이 쏟아진다.

"노아! 지금 퇴근한 거야?"

"아, 응! 나가!"

칼을 다시 원래 자리에 넣고 그는 찾아온 이웃에 환하게 웃으며 차고를 빠져나갔다.

* * *

"이야아."

크리스마스이브의 아침.

따뜻한 김이 올라오는 커피잔을 든 채 테라스로 나온 종혁이 겨울왕국, 화이트 크리스마스의 축복이 내린 뉴욕의 전경을 둘러보며 화사하게 웃는다.

"좆됐네."

빠앙! 빵!

고작 아침 7시임에도 도로에 차들이 가득하다.

지금 출발한다고 해도 제시간에 출근할 수 있을까.

"……헬기 부를까?"

종혁은 정말 심각하게 고민했다.

스으응!

닫히는 엘리베이터 문.

1층 버튼을 누른 종혁이 입술을 깨문다.

“빌어먹을.”

지난 일주일 동안 하루 2시간씩 자며 노력했지만, 그 어떤 단서도 찾을 수가 없다.

에덤 폴 이전에 발생한 살인 사건에 혹여 목격자가 있는지 그 주위를 싹 다 뒤져 봐도, 당시 용의선상에 오른 도축업자나 특수부대원의 알리바이를 다시 조사해 봐도 마찬가지.

약간의 차이가 있을 뿐, 모두 이전에 했던 진술과 엇비슷했다.

오히려 진술이 토시 하나도 틀리지 않고 똑같았다면 의심했을 것이다. 사람의 기억이라는 건 시간이 흐르며 퇴색되기 마련이니까.

카운트 살인마의 첫 살인은 무려 6년 전.

6년 전 일을 자세히 기억한다?

완전기억능력을 갖춘 괴물이 아닌 이상 제아무리 천재라고 해도 6년 전 일을, 그날 하루에 있었던 모든 일을 완벽히 기억할 순 없다.

인간의 뇌란 그렇게 대단한 놈이 아니다.

하지만 지금 그게 문제가 아니다. 종혁을 초조하게 만드는 이유는 따로 있었다.

“4번째 살인 이후 갑자기 살인의 간격이 반년으로 짧아졌어.”

약 1년의 텀을 뒀던 살인이 아무런 징조도 없이 반년으로 짧아졌다.

살인 충동이 강해진 것일 수도 있고, 자신이 잡히지 않을 거란 확신을 가진 것일 수도 있다. 어쩌면 둘 모두일 수도 있다.

그런데 이번 살인은 겨우 4개월 만에 일어났다.

이미 정해진 루틴에서 벗어나기 시작한 놈의 행적. 어쩌면 당장 내일 아홉 번째가 피해자가 발생할 수도 있었다.

"염병, 씨발! 진짜 뭐하는 놈이기에 단칼에 경동맥을 찌를 수 있는 거지?"

차라리 베었다면 이렇게 골치 아프지도 않다.

하지만 베는 것과 찌르는 건 차원이 다른 이야기다. 사람의 신체에 대해 아주 잘 알고 있다는 뜻이 되니 말이다.

거기다 놈은 뼈를 교묘하게 피해 가며 상체를 찔렀다. 이래서 도축업자나 특수부대원을 용의선상에 올린 거다.

'그리고 그동안 살인 충동을 어떻게 참은 거냐고!'

4번째 살인까지 있었던 1년의 텀.

한 번 피 맛을 본 놈이 1년 동안 참는다? 고양이가 생선을 참는다는 게 더 설득력 있다.

첫 번째 살인까지는 그럴 수 있지만, 두 번째 살인 이후부터는 그럴 수가 없다.

살인은 마약이다. 살인에 한 번 중독된 사람은 결코 그

충동을 참지 못한다.

텀이 반년, 그리고 4개월로 줄어든 게 그 증거다.

살인을 하지 않고도 살인 충동을 잠재울 수 있는 건 오직 피를 보는 것뿐이다. 그것도 대량의 피를.

'역시 도살장에서 일하는 걸까? 아니면…….'

"아오, 진짜!"

띵!

한숨을 내쉰 종혁은 프런트로 다가갔다.

"좋은 아침입니다, 최."

"좋은 아침이에요, 드웨인."

밝은 미소로 인사를 하는 140kg 거구의 경비원, 드웨인. 이 아파트 빌딩의 든든한 수문장이다.

"오늘은 눈이 많이 내려서 다른 교통수단을 이용하시려나 보군요."

언제나 출근 시각엔 바로 지하주차장으로 향했던 종혁.

"지하철을 이용하려고요."

"저런. 조심하세요. 뉴욕 지하철엔 못된 놈들이 많거든요."

"하하. 그러도록 할게요."

종혁은 제발 그래 줬으면 싶었다. 이 짜증 좀 풀 수 있도록.

"아, 맞아. 딸이 있다고 했죠? 이르지만 메리 크리스마스예요. 퇴근 후에 백화점에 들러서 공주 드레스라도 사가세요. 물론 아내분을 위한 꽃다발과 케이크는 기본 옵션이고요."

"오, 최!"

입주민에게 이런 선물을 받은 건 처음일까. 드웨인이 과하게 감동한다.

종혁은 드웨인을 부럽다는 듯 쳐다보는 다른 프런트 직원에게도 백화점 상품권을 건넸다.

"그럼 오늘 하루도 파이팅 있게 근무하세요……."

재차 한숨을 내쉬며 돌아서던 종혁은 갑자기 문득 든 생각에 잠시 멈춰 섰다.

"아, 그러고 보니 드웨인. 특수부대 출신이라고 했죠?"

"예. 미 육군 레인저 부대 출신입니다."

"그럼 혹시 사람의 경동맥을 단번에 찌를 정도가 되려면 어느 정도로 훈련을 받아야 하나요? 혹시 정말 특수한 부대에 소속되어야 하나요?"

종혁이 궁금한 점이 바로 이것이다. 용의자를 좁힐 수 있는 정보.

"흠. 사건 이야기인가 보군요. 전 저희 부대밖에 모르긴 하지만, 보통 3년 정도 고도로 훈련을 받아야 가능합니다."

소리 없이 적을 제압하는 가장 기본적인 방법이 경동맥을 긋거나 폐를 찌르는 것으로, 어느 특수부대든 숙달해야 하는 기본 기술이다.

"으음. 그래요."

레인저 부대도 살인 기술을 배운다는 말에 종혁은 실망할 수밖에 없었다.

'미치겠네.'

범인의 윤곽이 드러나지 않으니 점점 짜증만 늘어난다.

"크흠. 그, 그런데 범인이 레인저나 특수부대원이 아닐 수도 있지 않을까요?"

"예?"

무슨 말인가 의아해하던 종혁은 뒤늦게 아차 했다.

레인저나 특수부대원이 살인자다.

레인저 출신으로서 그걸 받아들일 수 없을 거다. 군인은 적을 죽이는 존재지, 지켜야 할 국민을 죽이는 존재가 아니니까.

Thank you for your service.

Thank you for your support.

이 두 문장으로 대변되는 미군의 자부심을 생각하면 실수를 한 게 맞았다.

"도, 도축업자일 수도 있고, 사냥꾼일 수도 있잖습니까."

움찔!

"사냥꾼이요?"

새로운 가설.

종혁은 눈을 빛냈다.

"그런데 사냥꾼이 해체도 잘하나요?"

사냥과 해체는 엄연히 다른 영역이었다. 또한 사냥엔 칼이 쓰이지 않지만, 해체는 능숙하게 칼을 다룰 줄 알아야만 했다.

"대부분? 보통 어린 시절에 아버지를 따라 사냥을 다니면서 해체를 배우니까요."

"어, 어린 시절에요?"

뜨악한 종혁의 모습에 드웨인은 피식 웃었다.

"최는 도시 중심에서만 살았나 보네요. 뉴욕시의 외곽이나 아무 농장만 가도 숲에 야생동물이 넘칩니다. 멧돼지부터 여우, 늑대, 오소리, 심지어 곰까지 있으니까요."

그런 야생동물들의 위협에서 스스로를 지켜야 하기에 미국인은 총에 익숙할 수밖에 없고, 그런 야생동물을 잡는 날이면 아버지는 어린 자식을 옆에 두고 야생동물을 해체해 먹을 수 있는 부위와 없는 부위를 알려 준다.

'시발, 진짜 어메이징 미국이네.'

아버지가 자식에게 동물을 해체하는 방법을 가르친다. 한국인에겐 절대 상식적이지 않은 이야기였다.

하지만 감탄하는 것도 잠시.

'어린아이 때부터 사냥을 배운다라……. 사냥…… 피…….'

놈과 비슷하다. 인내심을 갖고 기회가 올 때까지 진득이 기다릴 줄 아는 놈의 방식과.

종혁은 간지러워지기 시작한 코를 긁었다.

"감사해요, 드웨인! 그리고 방금 제가 실수한 것에 대해서도 사과할게요! 벤, 접니다! 동부에서 수렵 면허를 받은 사람들 명단이 필요해요!"

'놈은 이걸 통해 계속해서 피에 대한 욕구를 만족시켜 왔을 수도 있어!'

아니, 어쩌면 이 사냥이 놈의 살인마 본능을 깨웠을 수도 있다.

그런데 이것도 질려 갔을 거다. 살인 주기가 급격하게 단축된 데에 이것도 영향을 끼쳤을 터.

종혁은 지하철역 계단을 뛰어 내려갔다.

*　*　*

타앙!

눈을 덮고 잠든 숲을 한 발의 총성이 깨운다.

촉촉이 젖다 못해 얼어붙은 나무와 나무 사이를 꿰뚫으며 나아간 한 발의 총탄.

그것이 뼈가 시린 날씨임에도 먹잇감을 찾으러 나온 노루의 살갗을 파고든다.

"끼이이-!"

심장을 파고드는 무지막지한 고통에 펄쩍 뛰었다가 단말마의 비명을 지르며 쓰러지는 노루.

스코프를 통해 그 모습을 관찰한 남성이 펄쩍 뛰며 기뻐했다.

"나이스, 노아! 이번에도 명중이야! 대단해!"

"하하."

배만 볼록 튀어나온 어수룩한 인상의 오십대 사내, 노아가 털모자를 쓴 머리를 긁는다.

"뭘. 사냥만 벌써 40년이 넘었는데 이 정도는 해야지."

몸을 일으킨 그들은 총을 어깨에 메며 쓰러진 노루를 향해 다가갔다.

"그런데 넌 정말 안 해도 되겠어?"

"됐어. 난 그냥 보는 걸로 만족해. 단 한 발의 총알로 목표물이 침묵할 그 순간까지 냉정히 기다리는 스나이퍼의 옆모습! 그리고 귀와 온몸을 꿰뚫는 총소리! 크으으!"

그는 직접 하는 것보다 보는 걸 더 좋아하는 타입이었다.

"돈 아깝게……."

이 사냥터를 4시간 빌리는 데 얼마나 드는지 알고 이딴 헛소리를 지껄이는 걸까.

"넌 다음부터 따라오지 마."

"앞으로 일주일 동안 맥주 살게."

이런 핑계라도 있어야 집을 벗어날 수 있는 게 아니겠는가.

슬슬 기력이 떨어지기 시작한 오십대 유부남에겐 이런 자유 시간이 절실했다.

"……콜."

그렇게 두런두런 이야기를 나누며 걸어가던 그들은 곧 바닥에 누워 숨을 헐떡이는 노루 앞에 설 수 있었다.

단숨에 허리춤에 찬 칼을 빼 들었던 노아는 아차 하며 이웃에게 내밀었다.

주춤.

"알잖아, 노아. 나 생고기도 못 써는 거."

"자랑이다."

고개를 저은 노아는 왼손으로 노루의 목을 쓰다듬으며 혈관을 찾았다. 그리고 그 위에 칼을 가져다 댔다.

그 순간 차갑고도 기쁘게 번들거리기 시작한 노아의 눈.

그는 애원하는 듯한 노루의 눈을 빤히 응시하며 칼을 찔러 넣었다.

푸우욱!

"끼익! 끼……."

'쯧.'

습관적으로 허리춤을 뒤지다가 혀를 찬 그는 그대로 칼을 뽑았고, 노루의 목덜미에서 피가 솟구쳤다.

푸슉! 푸슈슉!

"웩!"

기겁하며 고개를 돌리는 이웃을 무시한 그는 얼굴에 튄 피를 닦는 척 피가 잔뜩 묻은 칼을 쥔 손을 코에 가져가 숨을 깊게 들이마셨다.

"후우."

피 냄새를 짙게 맡았음에도 왠지 불만족스러운 그의 얼굴.

'부족해.'

노루의 목덜미와 배에서 흐른 피가 땅바닥을 촉촉이 적시고 있지만 부족하다.

피 냄새의 질이 다르다.

'역시 사람이 최고인가…….'

코앞에서 보는 놀라고 아파하며 절망에 물들어 가는 표정의 변화. 한 칼, 두 칼 찌르는데도 꿈틀거리면서 어떻게든 살아 보려는 버러지의 발악.

살려 달라는 발버둥.

그 절망이 가득 섞인 피 냄새와 그 죽어 가는 목소리는 정말 사람을 미치게 만든다.

"아, 못 참겠네."

'바로 준비해야겠어.'

다음 사냥, 아니 이 미국을 좀먹는 해충을 죽일 준비를.

"응? 뭘 못 참는다는 거야?"

"아, 화장실."

"얼른 다녀와."

노아는 칼을 옷에 슥슥 문지르며 나무 뒤로 돌아갔다.

'정말 시끄러워.'

하지만 미국에 도움이 되는 인물.

노아는 아쉽다는 듯 고개를 저었다.

부우우웅! 카라락!

거대한 숲, 작은 오두막 앞에 노루를 실은 ATV를 멈춘 노아와 이웃이 기지개를 켠다.

"으그그. 어우, 춥다. 집에 가는 길에 펍에서 맥주? 맞아, 안 되려나? 나야 내일까지 휴가이긴 한데……."

"나도 내일까지 휴가야."

“와, 그 일도 휴가를 많이 주나 보네. 하긴 계속 신경을 집중해야 되니까 그럴 수밖에 없으려나?”

“뭐, 그렇…… 응?”

부우우웅!

“오, FBI다. 뭐지? 무슨 일 있나?”

노아는 호들갑을 떠는 이웃을 무시하며 눈빛을 가라앉혔다.

‘FBI…….’

그는 몸을 돌려 사무실로 향했다.

* * *

부우웅!

한겨울의 도로를 내달리는 SUV 안.

보조석에 앉은 벤이 고개를 뒤로 젖히며 피로를 나타낸다.

“이번이 몇 번째지?”

“네 번째.”

“……죽겠네.”

뉴욕주에 위치한 사냥터들 가운데 직접 오기 전엔 어림없다며 못을 박은 사냥터의 주인들.

그래서 이렇게 달려가는 거다.

그래도 이건 그나마 나은 거다. 다른 주의 FBI들이 협조에 응해 주지 않았다면 몇만 킬로미터를 이동해야 됐을지도 모른다.

"그래도 여기로 끝이니까 좀만 힘내요, 벤. 드롭, 괜찮아요? 바꿔 줄까요?"

"아냐. 곧 도착하는 데 뭐."

드롭은 저 앞에 세워진 표지판을 가리켰고, 고개를 끄덕인 종혁은 차가 숲 안으로 접어들자 창문을 내렸다.

휘이이잉!

따뜻한 히터에 가출할 뻔한 정신을 흔들어 깨우는 차가운 바람.

'부디 이 사냥터들 안에 놈이 있길.'

종혁은 간절히 바랐다. 사냥터들의 이용객 중 놈이 없다면 수사는 다시 원점으로 돌아가게 될 테니 말이다.

범인을 유추할 수 없는 오리무중으로.

카가각!

"도착했어."

차가 멈춰 서자마자 빠르게 내린 종혁과 벤이 기지개를 켜며 굳은 몸을 푼다.

"어우으. 숲이라 그런지 정말 살벌하게 춥네."

"벤, 넌 뉴욕 토박이인데도 춥냐?"

"닥쳐, 드롭. 그래도 추운 건 추운 거야."

'에휴. 저 양반들은 언제 철이 들런지.'

고개를 저은 종혁이 통나무로 지어진 오두막 사무실의 문을 향해 손을 드는 순간이었다.

벌컥!

갑자기 열리는 문.
깜짝 놀란 종혁은 마찬가지로 놀라 쳐다보는 오십대 남성, 노아의 모습에 낯빛을 굳혔다.
'피 냄새?'
거기다 대략 180cm 정도 되는 신장.
종혁의 눈이 가늘게 떠졌다.
'신발 사이즈도 얼추 맞는 것 같고…….'
종혁은 싱긋 웃으며 노아의 앞을 막아섰다.
"FBI입니다. 실례가 안 된다면 라이선스 좀 확인할 수 있겠습니까?"
"……무슨 일입니까?"
"다름이 아니라 얼마 전 뉴욕에서 큰 사건이 터질 뻔했거든요. 그때 도주한 잔당들 중 선생님과 비슷한 체격을 가진 사람이 있어서 말입니다."
뜬금없는 종혁의 행동에 잠시 의아했던 벤과 드롭이 한 발 물러서며 허리로 손을 가져갔다.
"이보세요! FBI면 답니까! 우리는 성실히 세금을 납부하는 뉴욕주의 시민입니다!"
"예, 죄송합니다. 그래도 협조 부탁드리겠습니다."
반발하는 이웃을 향한 서글서글 웃는 낯을 빤히 응시하던 노아는 이내 혀를 찼다.
"따라오세요. 신분증은 차에 있으니까."
노아는 픽업트럭에서 드라이빙 라이선스와 보험증서를 내밀었고, 이웃도 신분증을 내밀었다.

그걸 받아 들어 벤에게 확인해 보라고 넘긴 종혁은 차창의 틀을 잡으며 차 안을 스윽 훑어봤다.

“아, 트렁크도 열어 주십시오.”

덜컹!

드롭이 트렁크를 확인하러 가는 것을 본 종혁은 다시 입가에 미소를 지었다.

“그런데 이렇게 추운데도 취미를 즐기러 나오셨네요.”

“휴가입니다!”

“어휴. 제가 기분 좋을 휴가를 망쳤군요. 많이 잡으셨습니까?”

“큼! 노루 한 마리 잡았습니다!”

“아까 그거요? 오, 손맛 좀 보셨겠는데요? 슬쩍 보니 단 두 방에 죽이신 것 같고……. 이거 저보다 실력이 좋으신 것 같은데요?”

“요원님도 사냥을 하십니까?”

“겨울이면 가끔 토끼나 여우 사냥을 하죠. 먼 곳, 스코프 안의 세상에서 땅바닥을 코를 박은 채 먹잇감을 찾는 놈들을 꿰뚫는 쾌감이란! 크으…….”

“아, 알죠! 그거 알죠!”

노아의 이웃은 흥분하며 노아를 흔든다. FBI보다 실력이 좋다며 말이다.

“이야, 이거 이런 고상한 취미도 가지시고……. 이런 재미는 진짜 우아한 사람들만 아는 건데……. 하시는 일들이 뭡니까?”

"아, 난 소방관입니다! 그리고 이쪽은……."
"샘슨."
"아."
이웃의 입을 막은 노아가 종혁을 본다.
"멀었습니까?"
"하하. 그게……."
"최."
종혁은 벤에게 건네받은 노아의 라이선스와 보험증서를 받아 들어 돌려주었다.
"수고하셨습니다. 좋은 하루 되시길 바랍니다."
"요원님도 수고하세요!"
끝까지 활발한 이웃.
노아와 이웃을 태운 차는 곧 출발해 주차장을 빠져나갔고, 노아는 가라앉은 눈으로 백미러로 종혁을 빤히 응시했다.
멀어지는 차를 지켜보던 종혁은 혀를 차며 몸을 돌렸고, 벤이 살짝 굳은 얼굴로 입을 열었다.
"뭔가 알아차린 거라도 있는 거야?"
"신장이랑 체중이 프로파일링과 흡사하더라고요."
"그것뿐이야? 저런 체격은 미국에 수천만 명은 있을걸?"
맞는 말이다. 그래서 수사에 애로사항이 많은 거다.
어디서나 볼 수 있는 흔한 체격인 탓에 수사망을 좁히는 게 쉬운 일이 아니었다.

"특별한 건 없던가요?"
"모범 시민이야. 매달 소액이지만 기부도 하고, 세금부터 시작해 핸드폰 요금조차 밀린 적이 없더라고."
"흠…… 트렁크는요?"
"아, 트렁크에도 별건 없었어. 안전화? 같은 것과 작업복을 제외하면 라이플 케이스밖에 없더라고."
'아, 그래서 친구의 입을 막은 건가?'
아마 기술직이 아닌, 보조 인부로 일하는 것일 터. 그 탓에 직업에 대해 자격지심을 느끼고 자신의 직업이 알려지는 것에 거부감을 느낀 게 아닐까 싶었다.
'어쩌면 그 스트레스를 사냥으로 풀었을 수 있겠네.'
단순히 방금 전 피를 봤기에 짙었다고 여기기에는 약간 이질적인 피 냄새. 이번 한 번만이 아니라, 몇 번이나 피를 본 사람만이 가질 수 있는 피 냄새였다.
거기다 흔들림 없이 응시해 오던 눈은 분명 능숙한 사냥꾼의 그것이었다.
'연쇄살인마도 그런 눈빛을 짓긴 하지만…….'
"흠. 수고했어요. 그럼 들어가죠."
오두막 안으로 들어간 종혁은 FBI 신분증을 내밀었다.
"직접 와야 협조를 해 주신다고 해서 이렇게 왔습니다. FBI입니다."
"……끙. 뭘 협조해 드리면 되겠습니까?"
"이 사냥터가 만들어졌을 때부터 이곳을 이용한 고객 명단이요."

'이 명단들 속에 부디 일치하는 사람이 있길.'

카운트 살인마가 살인을 저지른 도시에 들른 차와 기차, 버스의 고객 명단과 이 사냥터들 고객 명단 사이에 겹치는 게 있기를…….

종혁의 눈빛이 차갑게 가라앉았다.

* * *

덜컹! 덜컹!

승객을 실은 기차가 떠나는 뉴저지의 작은 도시 트랜턴의 기차역.

목깃을 세운 오십대 사내, 노아가 빠져나온다.

퇴근 시간이라서 그런지 정체된 도로에서 경적을 울리는 차들과 웅성거리며 돌아다니는 사람들.

"미진해."

미진하다. 며칠 전 대량의 피를 봤음에도 갈증이 사라지지 않는다.

아니, 더 심해진다.

하루, 1시간, 1분, 1초, 시간이 흐를수록 갈증은 계속 강해진다.

'분명 처음엔 1년은 넘게 참을 수 있었는데…….'

목을 태워 버릴 듯한 지독한 갈증에 정신이 나가려는 와중에 보게 된 사람의 피.

그때 깨닫게 됐다. 자신의 가슴속에 숨어 있던 괴물의

본능을.

처음엔 영화 속 괴물이 된 것처럼 무섭고 두려웠다.

하지만 본능을 깨닫게 되자 주체할 수 없는 살인 욕구에 다시 사람의 피를 보게 됐을 때 인정할 수밖에 없었다.

그때 그는 다짐했다.

이 본능에 휘둘리지 말고 의미 있는데 쓰자.

그렇게 1년에 한 명씩, 이 미국을 좀먹는 해충을 치우는 사냥꾼이, 해충 박멸가가 된 것이다.

목표물을 정하고 미행하며 덫을 놓고, 아버지에게 배운 모든 기술을 이용한 사냥에 성공했을 때의 그 미칠 것 같은 쾌감.

그 카타르시스는 1년에 몇 번씩이고 영혼을 찢고 나오려는 괴물을 1년 동안 잠재웠다.

그런데 지금은 아침에 눈을 뜰 때마다 갈증이 솟는다.

"후우."

하얀 입김을 내뱉은 노아는 눈이 녹지 않은 보도블럭 위를 걸으며 시내 중심가로 향한다. 온갖 군상의 사람들이 모이는 시내 중심가로.

그럴수록 더 많아지며 더 큰 소음을 내는 사람들.

조용한 것을 좋아하는 그에게 있어 참 곤욕이 아닐 수 없다.

하지만 그는 참았다. 저들이 해충일지 아닐지 아직 모르니까.

그는 걷고 또 걷다 중심가에 위치한 펍에 들어갔다.

"으하하하하!"

"호호호!"

따악! 다르륵!

웃음소리와 당구 치는 소리가 가득한 펍.

바에 앉은 노아가 주문을 한다.

"레드록 한 병. 간단하게 먹을 것도."

맥주 브랜드 중 하나인 레드록.

노아는 펍의 주인이 금방 내준 맥주를 입에 가져가며 귀를 활짝 열었다. 그러자 가게 안의 소음이 그의 고막을 때린다.

오늘도 좆같았던 상사를 향한 험담.

한 병의 맥주로 오늘 하루의 피로를 잊는 노동자의 한숨.

당구 내기를 하며 투닥거리는 연인과 과제가 너무 많다며 징징거리는 학생들.

이 안에 있을 거다.

아무런 쓸모가 없는 버러지가. 미국을 좀먹는 해충이.

"레드록 한 병 더."

"손님, 이번이 라스트 오더입니다."

"……그럼 취소하죠. 얼맙니까?"

"46달러입니다."

"여기 있습니다. 수고하세요."

팁까지 넘기며 몸을 일으킨 노아는 펍을 빠져나갔다.

"쯧."

오늘은 없다.

타는 목을 쓰다듬은 그는 마침 보이는 모텔로 향했다.

그 순간이었다.

"날 좀 내버려 둬! 그만 간섭해! 나도 이제 20살이라고-!"

머리를 금발로 물들인 갈색 머리의 히스패닉계 여성.

코와 귀를 뚫은 피어싱과 문신들과 허벅지를 훤히 드러낸 미니스커트.

"뭐? 하! 용돈 끊기만 해! 콱 죽어 버릴 거니까! 내가 용돈으로 마약을 사든, 남자들과 자러 다니든 엄마가 신경 쓸 건 아니잖아!"

눈이 차갑게 가라앉은 노아는 타다 못해 찢어지려고 하는 목을 쓰다듬으며 가만히 여성을 응시했다.

* * *

"해피 뉴 이어-!"

타임 스퀘어에서 2008년 새해를 맞이한 지도 벌써 2주일째.

캘리 그레이스가 수장으로 있는 수사팀의 사무실에 여덟 마리의 좀비들이 걸어 다닌다.

"으어. 커피가 필요해. 당분이 필요해."

"타우린. 카페인……."

"배달 왔습니다! 도넛과 커피 시키신 분?!"
"도넛? 커피?"
고개가 돌아간 여덟 마리의 좀비가 눈을 희번뜩 뒤집으며 몸을 날린다.
"커피다! 도넛이다!"
"내놔!"
"우와아아아악!"
불쌍한 도넛 배달원은 도넛이라는 살점과 커피라는 피를 물어 뜯겨야 했다.
거기엔 종혁도 있었다.
"아하하. 미안합니다. 다들 제정신이 아니라서."
"아, 아뇨. 그, 그럼 수고하세요."
"예, 수고하세요."
떠나는 배달원에게 손을 흔들며 돌아선 종혁은 혹시라도 동료들이 도넛을 다 먹을까 얼른 한 박스를 더 확보했고, 그런 그에게 벤이 입을 연다.
당분과 탄수화물, 카페인이 들어가서 그런지 사람으로 돌아온 벤.
"와. 진짜 세월이 빠르긴 하네. 도넛이 배달도 되고."
미국에서 배달되는 음식은 거의 두 가지뿐이라고 생각하면 된다. 중국 음식과 피자.
종혁은 피식 웃었다.
"배달 와야죠. 배달료를 50달러나 줬는데."
"……어?"

종혁은 당황해하는 벤을 뒤로한 채 이곳 수사팀의 정보 담당 요원에게 다가가 그녀의 어깨에 손을 얹었다.

"으음. 좋아. 그 옆에도…… 하아. 그래, 거기."

"유부녀가 괜히 총각 꼬시지 맙시다. 확 대시하는 수가 있으니까."

"호호호!"

"좀 어때요, 몰리?"

캘리 그레이스가 붙여 준 요원들이 조사한 자료를 넘기면 최종적으로 그 모든 자료를 취합하고 재검토해서 검수하는 몰리.

이곳 수사팀에서 캘리 그레이스 다음으로 없어선 안 될 인물이다.

"……없어."

겹치는 사람이 없다.

기차와 버스를 이용한 승객, 차량의 소유주, 도축업자, 특수부대원, 사냥터에서 받은 명단까지 모두 대조해 봤지만 겹치는 인물이 단 한 명도 없다.

"이제 80퍼센트 확인한 거지만……."

종혁은 혀를 찼다.

"사냥터의 명단과 특수부대원, 도축업자 사이에서 겹치는 인물도 없어요?"

"아, 그건 여기. 도축업자는 없고, 특수부대원 중엔 한 명 있었어."

"그래요?"

다급히 명단을 받아 든 종혁은 고개를 푹 숙였다.
척 노리스. 나이 79세.
'이래서 없다고 한 거구나.'
"그 사람, 아마 포크도 들기 힘들 거야. 검색해 보니까 당뇨에 고혈압, 류마티스 관절염, 골다공증에 척추 수술까지 해서 보조기구 없인 움직이기 힘들고, 경증 알츠하이머 진단도 받았더라고."
"……고마워요. 조금만 더 수고해 주세요."
"도움이 되지 못해서 미안, 최."
"충분히 도움되고 있으니까 그런 말은 마세요."
이것이다. 종혁이 바라는 이상향 수사팀의 일부분이.
말만 하면 곧바로 그 사람에 대한, 그 단체에 대한 모든 정보를 추릴 수 있는 정보 수집 능력.
'순철이가 해야 될 능력. 하, 진짜 철이를 데려와야 하는데.'
풀이 죽은 몰리의 어깨를 두드린 후 자리로 돌아온 종혁은 이젠 보기만 해도 토가 쏠리는 CCTV 화면에서 외면하며 천장을 응시했다.
'대체 뭘까. 피해자들 사이에 어떤 공통점이 있는 걸까.'
놈은 사냥꾼이다.
먹잇감을 신중히 고르고 추적해 덫을 놓고 결국 때가 됐을 때 사냥하는 사냥꾼.
그런 놈이 무작위로 대상으로 골랐을까?

그것도 다년간의 실전 및 성공을 한 놈이?

아니다. 분명 피해자들 사이엔 종혁 본인이 눈치채지 못한 공통점이 있는 거다.

만약 아무나를 대상으로 골랐다면 지금보다 살인 주기가 더 빨라야 했다.

"그리고…… 이것도 문제지."

놈이 뉴욕주를 벗어나 다른 주도 돌아다닌다는 것.

"하. 이놈이 왜 이렇게, 또 어떻게 이동했는지 알 수만 있으면 뭔가 풀릴 것 같은데……."

그러기 위해선 종혁 자신이 알아차리지 못한 피해자들과의 공통점을 밝혀내야 했다.

"학교, 아니야. 보이스카우트나 걸스카우트 아니고."

어느 병원에서 출생을 했는지까지 모두 기록된 피해자들의 신상 기록을 살피던 종혁은 책상에 이마를 박았다.

없다. 털끝만큼도 겹치는 게 없다.

"아아아악!"

깜짝 놀라 종혁을 보는 사람들.

하지만 그게 보이지 않는 종혁은 눈을 부라렸다.

"그래, 씨발. 내가 언제 사무실에서 대가리 굴리며 수사했냐!"

발로 뛰면서 수사했다.

종혁은 외투를 챙겨 들고 일어섰다.

"벤! 드롭! 여행 갑시다!"

피해자들 주변을 다시 탐문해 봐야 할 것 같았다.

* * *

"그러니까 카탈레냐 씨께서 평소에 사치가 심하셨다는 말이죠?"

세 번째 피해자, 뉴욕주 시러큐스에 사는 카탈레냐 호르메즈. 살해 당시 나이 27세.

멕시코 출신 불법 밀입국자로 펍에서 일을 하다가 눈앞의 백인 남성과 눈이 맞아 결혼을 하며 당당히 미국 국적을 얻었다.

"후우. 솔직히 죽은 아내를 욕보이려는 건 아니지만, 그래도 많이 심했습니다. 치과의사인 제가 버겁다 느낄 정도였으니까요."

아내의 사치로 인해 시내 중심가에 있던 집을 팔고 이렇게 외곽까지 오게 됐으니 정말 많이 싸웠다.

하지만 그걸 제외하면 둘의 사이는 여느 부부처럼 좋았다.

"아내가 다른 남자를 만나는 것도 아니었고, 저도 마찬가지였죠. 잠자리도 이틀에 한 번씩 가졌습니다."

아내의 음식 솜씨도 정말 좋았다.

"다투셨다면 어느 정도로 심하게 다투셨습니까?"

"……또 말해야 하나요?"

"죄송합니다. 부탁드리겠습니다."

"결혼 2년 차까지는 정말 애원하고 말렸지만, 이후부터

4년 차까지는 거의 주먹을 휘두르기 직전까지 갔었죠. 접시나 그릇, 액자처럼 손에 잡히는 걸 서로에게 던졌으니까요."

당시엔 가족과 친구들이 말리던 결혼을 괜히 했다고 자책도 했었다.

그러다 5년 차 때 이러다 살인이라도 날 것 같아서 부부상담을 받았고, 이후 카운슬러의 조언대로 같은 문제로 싸운다고 해도 서로 얼굴을 보지 않고 전화로 싸웠다.

아내 카탈레냐도 정신병 진단을 받고 고치려고 많이 노력했다. 결국 완벽하게 제어하진 못했지만 말이다.

"그러다…… 그러다…… 큽. 죄송합니다."

"아닙니다."

종혁은 눈물이 맺힌 그에게 휴지를 건넸다.

"그럼 그날은 특별한 날이었나요?"

"아닙니다. 아내는 2주에 한 번, 요가 학원의 친구들과 모임을 가지는데 그날이 바로 그날이었을 겁니다."

여자들끼리 모여 같이 영화도 보고, 쇼핑도 하고, 술도 마시는 그런 건전한 모임.

"저녁 9시쯤? 아무튼 그쯤에 출발했다는 연락을 받았고요."

그리고 저녁 11시가 됐는데도 집에 돌아오지 않는 것도 모자라 전화도 받지 않아서 경찰에 신고를 했고, 아내는 버스정류장에서 집으로 오는 그 사이의 길에서 변사체로 발견됐다.

종혁은 잠시 그가 진정하기를 기다렸다.

"흠. 그럼 아내분께서 그 요가 학원의 모임 말고 다른 외부 활동을 한 게 있을까요?"

"멕시코 불법 밀입국자들을 위한 모금 활동과 컨트리 댄스클럽을 다닌 것 말고는 없을 겁니다. 제가 알기론 그렇습니다."

"그렇군요."

종혁은 눈을 빛냈다.

'밀입국자들을 위한 모임.'

이건 새로운 정보다.

"그럼 혹시 카탈레냐 씨께서 멕시코에서 어떻게 뭘 하며 자라셨는지 아십니까?"

"예. 압니다. 결혼을 하고 미국 국적을 취득했을 때 처가에 갔으니까요."

처가는 지독히도 가난한 곳이었다. 손바닥만 한 작은 땅덩이에 농사를 짓고 사느라 궁핍했었다.

"매일같이 장인어른과 장모님을 도왔다고 합니다. 그러다 못 견뎌서 미국으로 도망쳐 왔지만요. 그 전까지는 딱히……."

정신과 의사가 말하길 이런 불우했던 어린 시절의 영향으로 그녀가 사치를 부리는 것일 수도 있다고 했다. 일종의 보상 심리인 것이다.

"으음. 그래요. 그럼 실례가 안 된다면 남편분께선 어떻게 자라셨는지 물어도 되겠습니까?"

"저요?"

"여러 각도에서 생각을 해 보려는 거니 협조 부탁드리겠습니다. 그렇다고 남편분 때문은 아닐 테니 너무 걱정 마십시오."

"으음…… 예. 저는……."

종혁은 수첩을 빼 들며 그의 말을 경청했다.

해가 어스름히 저물어 가는 오후.

남편의 배웅을 받으며 집을 나선 종혁이 머리를 벅벅 긁는다.

"아오, 씨."

"이건 뭐가 없는데?"

남편의 과거사와 밀입국자들을 위한 모임이라는 정보만 추가됐을 뿐 뭐가 없다.

"이거 아무래도 헛물켜는 거 아냐?"

"어쩌겠습니까. 그렇다고 해도 해 봐야지. 살인 현장도 둘러보죠."

고개를 끄덕인 벤과 드롭은 세 번째 피해자 카탈레냐가 살해를 당한 현장으로 향했다.

집과 집 사이 골목길에서 죽임을 당한 카탈레냐.

"당시 이 두 집은 비어 있었다고 했죠?"

"어. 왼쪽 집은 시내로 이사, 오른쪽 집은 소유주가 노환에 의해 사망하면서 자식들 간에 분쟁이 일어났지."

그래서 당시엔 방치되었다.

"저 가로등도 망가졌었고. 한 석 달쯤."

종혁은 고개를 끄덕였다.

역시나 놈은 치밀하게 주변을 조사한 뒤 이곳을 사냥공간으로 삼은 거다.

"그런데 어떻게 여길 들어왔을까. 어떻게 이 동네를 돌아다녔을까……."

이곳도 8번째 피해자 에덤 폴의 동네처럼 작은 동네다. 외지인이 들어서면 눈에 띄일 수밖에 없었다.

"아무래도 저 숲이 아니겠어?"

"……그렇겠죠?"

동네의 끄트머리에서부터 시작된 숲.

"일단 피해자 네 명과의 공통점이 생기긴 했네요."

숲.

살해 현장 근처에 숲이 있거나 살인 현장이 작은 숲이었다.

"한번 가 보죠."

시간이 많이 흘러서 아무것도 없겠지만, 그래도 가 보는 게 심적으로 편했다.

그렇게 숲 안으로 들어온 그들은 이곳저곳을 뒤적거리다 혀를 찼다.

미국도 이런 곳에 쓰레기를 버리는 건 마찬가지인지 폐플라스틱이나 비닐 포장지, 쪼개진 서랍장들 널브러져 있었다.

뿌우! 뿌!

더 찾아봤자 시간 낭비라는 듯 저 멀리서 기차 경적소리가 화를 냈다.

"응? 기차?"

순간 서로를 본 셋은 숲 안쪽으로 뛰어갔다.

그리고 발견할 수 있었다.

8번째 피해자 에덤 폴과의 교차점, 철로를 말이다.

"에이. 아닐 거야. 기차 이용객 중 겹치는 사람이 없었잖아. 그리고 기차역이 없는 곳도 있었…… 어?"

손을 젓던 드롭이 멀리서 다가오는 기차를 보고 입을 다문다.

화물 기차.

종혁의 홀린 듯 핸드폰을 들었다.

"몰리, 피해자들이 사는 도시에 화물 기차가 다니는지 확인해 봐요. 그리고 그 당시 화물 기차를 몰았던 운전사가 누군지도!"

*　*　*

사진 속 얼굴은 참 순박했다. 어두운 밤길에 만나도 웃으며 인사할 수 있을 정도로 순한 외모.

"이름. 노아 해밍턴. 나이 52세."

코쿠스 운송회사 소속 화물 기차의 기관사로, 현재 경력은 24년. 납세의 의무를 단 한 번도 저버리지 않는 모범 시민이다.

"그리고 사건이 발생한 시각, 그 도시들 전부에 있던 유일한 사람."

쿵!

현재로선 유일한 교차점.

사건이 벌어진 도시엔 무조건 노아 해밍턴이 있었다.

이런 몰리의 말에 사무실이 고요해진다.

"모범 시민이라……."

종혁의 얼굴이 뒤틀린다.

"카드 사용 내역을 살펴보면 사냥을 제외한 특별한 취미 활동은 없는 것 같고, 꽤 규칙적으로 생활하고 있는 것 같아."

아침엔 도넛과 커피 한 잔, 점심엔 부리또나 햄버거. 특별히 간식을 먹진 않는 것 같고, 이 패턴은 최소 일주일에서 열흘 정도 일을 하러 나가도 계속 유지가 된다.

그런데 그럴 땐 언제나 저녁에 정차하는 도시의 펍에서 술을 마신다.

'펍?'

"흠. 출장, 그러니까 운송을 나갈 때마다 담당하는 노선은 언제나 같나요?"

"응. 반년에 한 번씩 노선이 바뀌는 것 같아. 그리고……."

타닥!

몰리가 키보드를 두드리자 사무실의 한쪽 벽에 걸린 TV에 노아 해밍턴의 카드 사용 내역이 뜬다.

"나이프 마니아인 것 같아. 특정 사이트에서 칼을 구입한 내역이 많아.”

헌팅 전문 사이트에서 생일날, 한 번에 2개에서 4개씩 칼을 구입한 노아 해밍턴.

“그런데 3년 전부터 구매하는 나이프의 숫자가 많아졌어.”

시기가 오묘하다.

“피해자들 몸에서 발견된 나이프와 일치하는 모델이 있어요?”

타닥!

TV에 나타난 나이프 모델 사진과 사체의 목에 꽂혀 있던 칼이 똑같다.

그뿐만이 아니다. 상흔에 실리콘을 쏴서 모형을 뜬 나이프들과도 똑같은 모델들을 구매한 내역이 있었다.

요원들이 술렁이기 시작했다.

‘90퍼센트.’

거기다 대머리이기까지 하다.

현재로선 가장 유력한 용의자였다.

“어떡할 건가요, 최.”

지금껏 카운트 살인마를 잡지 못한 이유가 뭐던가. 현장에 체모나 지문 등 아무런 단서도 없었기 때문이다.

노아 해밍턴이 정황상 범인으로 유력하긴 하나, 명확한 증거가 없는 한 놈을 체포할 수 없었다.

이런 캘리의 말에 종혁의 눈빛이 차갑게 가라앉는다.

“놈은 사냥꾼입니다.”

인내할 줄 아는 사냥꾼이다.

하지만 그것도 과거형이다. 놈은 점점 자신의 욕구를 참지 못하고 있다.

끈기와 인내심을 잃고 성급히 사냥을 나서는 순간, 분명 놈에게도 실수가 나올 터.

"그러니 우리도 덫을 놓죠."

"덫?"

"예. 놈은 인식할 수도 없는 덫."

종혁의 입술이 비틀렸다.

*　*　*

터엉!

어두운 밤, 화물 기차가 정차를 하자 기관석에 앉아 있다 일어선 노아 해밍턴이 화물칸들이 잘 잠겨 있는지 검사한다.

콰득! 콰득!

철도에 깔린 자갈들을 짓밟는 안전화.

"수고했어요, 코쿠스."

"수고하셨습니다."

"내일 언제 오시나요?"

"새벽 4시에 10분에 출발입니다."

"4시 10분……."

노아는 인사를 건네는 관리자에게 서글서글한 인사를

하다 무언가를 발견하고 눈빛을 가라앉혔다.

"저건 뭡니까?"

"아, 저거요? 몰라요. 시에서 설치하라고 해서 하는 건데……."

명분은 외부에서 들어온 도둑들에 의해 도난 사고나 훼손 사고가 빈번히 발생하니 그걸 예방하기 위해 설치하는 거라고 했다.

"하지만 그러면서 우리도 감시하겠다는 거겠죠. 빌어먹을. 우리가 정말 화물을 빼돌리는 줄 아나!"

CCTV를 설치하는 사람을 보며 침을 뱉는 관리자.

노아 해밍턴은 어색하게 웃었다.

"크흠. 아무튼 확인 다 했으면 여기에 사인해 주세요."

"예."

스스슥!

"그럼 수고하세요. 내일 뵙겠습니다."

"예. 수고하세요."

관리자가 사라지자 노아 해밍턴은 다시 기관석으로 올라가 운동화로 갈아 신은 뒤 기관석 문까지 완벽하게 잠근 후 기차역을 나섰다.

"후우우."

잠시 멈춰 선 그의 입에서 흩어지는 하얀 입김.

왜인지 노아 해밍턴의 낯빛이 어둡다.

"점점 삭막해지네."

현재 하는 일도 그렇다.

작년까지만 해도 일주일에서 열흘 정도 일하면 닷새 정도는 쉴 수 있었는데, 지금은 겨우 사흘만 쉴 수 있다.

거기다 올해 초엔 기관사들도 15퍼센트나 정리 해고가 됐다. 주로 60세가 넘은 이들이었다.

'국제 유가가 높아졌다며 어쩔 수 없다고 했지.'

대체 유가와 기관사가 무슨 상관인지 모르겠지만, 노아 해밍턴과 동료들은 그 말도 안 되는 그 변명에 동료들이 떠나는 걸 그저 지켜보는 수밖에 없었다.

괜히 반발했다가 이 어려운 시기에 잘리기라도 하면 큰일 나니까.

"쯧."

고개를 저은 그는 검정색 점퍼의 옷깃을 여미며 며칠 전 내린 눈에 곳곳이 얼어붙은 거리를 조심히 걸었다.

근처에 바로 모텔이 있음에도 무시한 채 걷고 또 걸은 그는 한 버스정류장 뒤, 골목에 숨어 오는 길에 사 온 에너지바를 씹으며 버스정류장을 살핀다.

부우웅! 끼이익!

저 멀리서 달려와 멈춰 서는 버스에 올라타고 내리는 사람들.

시간을 확인한 노아 해밍턴의 눈이 자연스럽게 버스에 탄 사람들을 훑는다.

오늘 하루가 고됐는지 차창에 머리를 기댄 채 잠든 회사원.

마트에서 산 물건이 가득 담긴 종이봉투를 소중히 끌어

안은 채 옅은 미소를 짓고 있는 사십대 주부.

어깨를 늘어트린 채 버스 손잡이를 잡고 있는 학생.

모두 이 미국이 무너지지 않도록 지탱하는 주역들이다.

그의 입가에 옅은 미소가 번진다.

그렇게 10분, 20분.

1월 말의 강추위에 온몸이 얼어붙어 감에도 노아 해밍턴은 미동도 없이 버스정류장을 살핀다.

그때였다.

"으아아아! 추워!"

미니스커트와 점퍼를 입은 채 달려온 여성이 버스 정류장에 서며 발을 동동 구른다.

'왔군.'

그는 수첩을 꺼내어 현재 시간을 기록했다.

저녁 8시 53분.

저녁 8시에서 9시 20분 사이에는 집을 나서서 클럽에 가는 사냥감. 수차례 지켜봤으나 큰 오차가 없었으니 매번 그럴 것이라고 봐도 무방해 보였다.

이번 사냥감도 다행히 사냥하기 쉽게 제법 규칙적이었다.

유심히 사냥감을 살피던 그때, 바람결에 흩날려 온 여성의 향수가 코끝을 파고들자 노아 해밍턴은 미간을 좁혔다.

미국을 좀먹는 해충이 쓰는 싸구려 향수답게 지독한 냄

새가 코를 아프게 했다.

"왔다!"

부우웅! 끼이익!

멀리서 달려온 버스가 멈춰 서자 여성은 빠르게 버스에 올랐고, 그걸 빤히 응시하던 노아 해밍턴은 그제야 굳고 얼어 버린 몸을 풀기 시작했다.

뿌드득! 뿌드득!

"후우우. 그럼 다음 포인트로 이동해 볼까."

수첩을 닫은 그는 다음 포인트인 사냥감의 집, 싸구려 아파트 근처의 골목으로 들어가 주변을 살폈다.

저번에 보지 못했던 차가 세워져 있지는 않은지.

혹여 그 사이 CCTV가 설치 되어 있는지.

그렇게 모든 요소를 확인하며 변수를 체크한 그는 다시 숨을 죽인 채 기다렸다.

목표물이 다시 둥지로 돌아올 때까지.

지독히도 타는 목을 부여잡은 채.

'오늘도 동선이 똑같다면…….'

더 기다릴 필요가 있을까.

그의 눈이 번들거리기 시작했다.

* * *

작은 도시 트랜턴의 작은 클럽.

작은 클럽답게 줄 서는 사람조차 없는 클럽 정문 앞에

두꺼운 점퍼를 걸친 채 서 있던 흑인 가드가 이쪽을 향해 다가오는 이십대 초반의 여성을 보며 혀를 찬다.

클럽의 수질과 매출을 높이고자 사장이 공짜 맥주와 인센티브를 주는 여성 중 한 명, 엠버.

"공부하다가 잠깐 머리 식히러 나왔다고! 끊어! 안녕, 가드 씨!"

"……들어가. 안에서 마약 하면 죽는다."

"그 작은 불알에 핫팩은 붙였죠? 수고해요!"

"mother fucker……."

가드의 욕설에 히죽 웃은 엠버는 클럽 안으로 들어갔다.

쿵쿵쿵쿵!

그녀의 전신을 때리는 비트.

겨우 그것만으로도 피가 끓은 그녀가 점퍼를 벗자 드러나는 짧은 미니스커트와 탱크톱 민소매 티셔츠.

목에 건 얇은 은 체인으로 포인트를 준 그녀는 클럽 한구석으로 다가가 바텐더에게 점퍼를 맡긴다.

"오늘은 좀 어때요!"

"별로야!"

외모도 외모지만, 날이 추워서 그런지 여자들의 옷차림이 길다.

대부분 청바지에 셔츠.

물론 착 달라붙어 몸매를 드러내지만, 그래도 속살이 잘 드러나지 않아서 그런지 남자들도 지갑을 잘 열지 않았다.

거기다 오늘따라 남자들 외모 상태도 영 별로라 피크 시간대임에도 매출이 적다.

“알았어요! 나 30분만 흔들다 올게요!”

“알았어! 자!”

바텐더는 독한 위스키 한 잔과 맥주를 내밀었고, 위스키를 단숨에 들이켠 엠버는 맥주병을 든 채 스테이지로 향했다.

“꺄아아아!”

후끈 올라오는 술기운에 그녀는 함성을 지르며 몸을 흔들었다.

텅!

작고 둥근 테이블에 맥주를 내려놓은 엠버가 어수룩한 인상의 사내를 보며 옅게 웃는다.

“안녕?”

“아, 안녕!”

어수룩한 인상답게 깜짝 놀라 대답을 하는 또래의 사내.

‘여기에 온지 한 시간밖에 안 됐다고 했는데 벌써 맥주를 4병이나 마셨다고 했지?’

그녀의 눈이 빛난다.

“친구들은?”

“그, 글쎄?”

분명 올 땐 같이 왔는데, 20분도 되지 않아 다 사라졌다.

엠버는 울상을 짓고 주위를 둘러보는 그의 모습에 속으로 한심스러워했다.

“혹시 클럽이 처음이야?”

“으응! 넌?”

“난 가끔 와! 넌 어디 출신이야?”

“나, 난 로렌스빌!”

“우연이다! 나도 로렌스빌 출신이야!”

“진짜? 이름이 뭔데? 어느 고등학교 출신이야? 너도 대학 때문에 트랜턴으로 온 거야?”

‘……하아.’

엠버는 구겨지려는 얼굴을 폈다.

“그게 중요한 게 아니잖아! 이런 클럽에서 같은 지방 출신인 우리 둘이 만났다는 게 중요하지! 안 그래?”

“마, 맞아! 거, 건배할까?”

“건배 좋지!”

챙!

둘의 맥주병이 허공에서 부딪쳤고, 엠버는 단숨에 술을 들이켜는 그를 보며 비릿한 미소를 지었다.

* * *

부르릉!

붉은색 벽돌로 지어진 싸구려 아파트 앞에 노란색 택시가 선다.

"차, 찰리. 다 왔어."

"으응. 그래?"

맥주를 무려 2병이나 마셨기 때문인지, 아니면 앞으로 있을 일 때문인지 얼굴이 빨갛게 달아오르고 숨이 거칠어진 남성이 흔들자 찰리라는 가명을 댄 엠버가 기지개를 켜며 잠에서 깨어난다.

"수고했어. 그리고 데려다줘서 고마워."

"아, 아냐. 그럼 내리자."

"잠깐만?"

엠버는 자연스럽게 따라 내리려는 남성을 향해 손을 뻗었다.

"찰리?"

엠버는 놀라 굳는 남성의 코를 튕겼다.

"하룻밤의 즐거움은 즐거움으로 끝내야지."

"뭐, 뭐?"

"다음부턴 바보처럼 클럽에서 여자를 어떻게 해 볼 생각하지 마, 너드. 병신처럼 또 클럽에 찾아올 생각도 말고. 안녕. 잘 가."

탁!

문을 닫은 엠버는 택시를 두드리고 몸을 돌렸고, 경악하는 남성을 태운 택시는 멀어졌다.

"찐따 같은 게 귀엽기는 하지만……."

거기까지다. 가끔 봐야 재밌는 거지 애인이 되면 골치 아파진다.

“으으으!”

오늘도 보람찬 하루였다.

둘이 합해 맥주를 무려 26병이나 마시면서 50달러도 벌었고, 교통비도 세이브했다.

맨날 오늘만 같았으면 싶었다.

기지개를 켜며 아파트로 입구에 선 엠버는 키를 꺼내들기 위해 주변을 살폈다가 고개를 모로 기울였다.

“분명 무슨 공사를 하는 것 같았는데 말이야…….”

거의 보름 전부터 막 벽을 뚫고 어떤 것들을 설치하는 것 같았는데 뭐가 바뀐지 모르겠다. 거기다 그때쯤부터 주변 아파트에도 꽤 많은 사람들이 이사를 왔다. 자신이 사는 아파트에도 말이다.

그런데 여전히 조용하고 변한 걸 찾아볼 수 없는 동네.

어깨를 으쓱인 그녀는 문을 열고 들어가 계단을 올랐다.

그리고 자신의 집 앞에 서서 키를 꽂던 그녀는 옆집을 향해 고개를 돌리며 눈을 가늘게 떴다.

“흐응. 이번에 이사 온 이웃은 조용한 부류인가 보네. ……무슨 상관이야. 내 잠만 방해하지 않으면 되지.”

드르륵! 달칵!

그렇게 문을 여는 순간이었다.

와락!

순간 뒤에서 끌어안은 누군가가 그녀의 입을 틀어막는다.

엠버의 눈이 부릅떠졌다.
“읍! 으읍!”
“쉿!”
질겁하며 반항하던 엠버는 코앞에 내밀어지는 FBI 신분증에 그대로 멈출 수밖에 없었다.
그런 그녀를 집 안으로 밀어 넣으며 현관문 옆에 있는 전등 버튼을 누르는 종혁.
달칵!
“크리스.”
“오케이.”
엠버처럼 호리호리한 몸매와 짧은 단발을 한 여성 요원이 종혁과 엠버를 지나쳐 안으로 들어가 안방의 불을 켜고, 뒤이어 화장실로 들어가 화장실 불도 켜며 샤워기를 틀었다. 엠버가 평소 집에 와서 했던 그대로.
쏴아아!
엠버는 그런 그들의 모습을 멍하니 쳐다볼 수밖에 없었다.
“이쪽으로 오시죠.”
종혁은 엠버를 이끌고 옆집으로 향했고, 엠버는 그에 깜짝 놀랐다.
‘여, 옆집에 이사 온 사람이 FBI였다니!’
“앉으세요.”
부엌 앞에 놓인 테이블의 의자에 앉은 엠버는 곧 종혁이 가져오는 뜨거운 커피를 얼떨떨하게 받아 들다 화들

짝 정신을 차렸다.

"저, 전 아무 잘못한 게 없어요!"

"쉿."

"……."

"일단 깜짝 놀라게 하여 죄송합니다, 엠버 버드 씨."

"헉! 저, 전 정말로……."

입술에 검지를 가져다 대는 종혁의 행동에 엠버는 입을 다물었다. FBI가 자신의 이름을 안다는 것에 찔리는 게 많은 그녀.

'마, 마약 때문인가? 하, 하지만 고작 마리화나를 폈을 뿐인데!'

대마초는 모르핀이나 헤로인 등의 마약과 비교하면 판매를 한 게 아니고서야 흡연은 경범죄 수준으로밖에 취급되지 않는 게 미국이었다.

그러니 그것 때문에 FBI까지 출동했다는 게 당황스러울 수밖에 없었다.

종혁은 안절부절못하는 그녀를 보며 눈빛을 가라앉혔다.

'엠버 버드.'

21세. 뉴저지의 작은 도시 트랜턴의 옆에 있는 더 작은 도시, 한국으로 치면 읍이라고 할 수 있는 페닝턴 출신으로 대학에 진학하기 위해 트랜턴으로 온 시골 소녀.

그러나 하라는 공부 대신 술과 클럽, 대마란 유흥에 빠져 버린 소녀.

이 여자다. 카운트 살인마로 추정되는 노아 해밍턴이 다음으로 노릴 것이라 예상하는 타깃이.

화물 기차가 정차하는 다른 도시들에선 펍과 모텔만 오간 노아 해밍턴.

그러나 최근 이곳 트랜턴에서만 유일하게 그동안의 동선과 달랐다. 심지어 별다른 용무 없이 불필요한 동선이었다.

그래서 그 동선에 걸치는 모든 인물들을 확인한 결과, 유일하게 엠버 버드와 동선이 겹치는 것을 확인할 수 있었다.

그에 다음 타깃이 엠버 버드임을 확신한 FBI는 곧장 덫을 깔았던 것이다.

'대체 놈은 무슨 기준으로 목표물을 정하는 거지?'

이전 피해자들과 일말의 공통점도 없는 엠버 버드.

이미 그녀에 대한 모든 걸 조사한 종혁은 미간을 좁혔다.

'대체 뭘까. 이 여자의 어떤 부분이 놈으로 하여금 목표로 삼게 만든 걸까.'

엠버의 얼굴을 보며 생각에 잠겼던 종혁은 잔뜩 겁먹은 그녀의 모습에 아차 하며 입을 열었다.

"당신을 어떻게 하려는 게 아니니 너무 걱정 마세요."

"그, 그럼 저를 왜……."

"협조를 구하기 위해섭니다."

"협조요?"

"근처에 테러 용의자가 있습니다."

"헉!"

굉장히 고민을 하다가 나온 말.

연쇄 살인마가 당신을 노리고 있다고 말할까 고민을 했던 종혁은 이렇게 말을 돌렸다.

'이 여성의 입을 믿을 수 없다.'

부모의 뼈골을 빼내 제 향락에 쓰는 여자를 어찌 믿을 수 있을까. 철이 없어도 정도껏 없어야 했다.

지금껏 피해자들의 동선을 집요하게 체크하며 나름의 확신이 섰을 때만 움직였을 거라 추정되는 카운터 살인마.

놈은 엠버의 행동이 평소와 달라진다면 뭔가를 눈치채고 도주할 확률이 높았다.

'이번에 어떻게든 잡아야 해.'

하지만 종혁은 이번에 놈을 반드시 잡아야 한다고 판단했다.

점점 살인 욕구를 참아 내지 못하고 범행을 저지르는 주기가 짧아지고 있는 놈이다. 이번에 잡아내지 못한다면 욕구를 참아 내지 못한 놈이 무차별 살인을 저지를지도 몰랐다.

때문에 확실히 놈을 유인하기 위해선 엠버의 모습이나 주변 환경이 평상시와 다름없는 것처럼 느껴지게 만들 필요가 있었다.

그리고 이를 위해선 엠버 버드의 협조가 반드시 필요했다.

"그래서 엠버 버드 씨에게 한 가지 제의를 하고 싶군요."

"어, 어떤 제의요?"
"당신의 방과 이 방을 서로 맞바꾸는 겁니다."
"……네?"
"놈을 감시하기 위해선 당신의 방이 최고의 포인트거든요."
이 아파트의 맨 끝 방인 엠버 버드의 방.
이번에도 놈은 8번째 타깃이었던 에덤 폴을 살해했을 때처럼 과감하게 집 안으로 들어와서 범행을 저지르려 할 가능성이 높았다.
"아, 아니……."
"굳이 거창하게 이사를 할 필요 없이 옷과 이불만 옮기시면 됩니다."
당황한 엠버는 자신도 모르게 주위를 둘러봤다가 눈을 반짝였다.
'T, TV……!'
50인치다. 거기다 안에 있는 모든 물품이 전부 비싼 메이커의 제품들이다.
"그리고 보호 차원으로 저희 FBI 요원도 붙여 드리죠."
"네에?!"
"당신이 뭘 할 필요는 없습니다. 그저 평소처럼 행동하시면 됩니다."
대학을 가는 둥 마는 둥, 친구를 만나는 둥 마는 둥 날라리 대학생인 평소처럼.
그저 그뿐이라면 이런 호화로운 방을 쓰게 해 준다는

것을 마다할 이유는 없었기에 엠버는 눈빛을 빛냈다.

"아, 참고로 우려가 돼서 하는 말인데 우리 FBI의 눈과 귀는 어디든 있습니다. 당신의 뒤를 스쳐 지나가는 사람이 요원일 수도 있고, 클럽에서 만나는 남성이 우리 요원일 수도 있다는 말이죠. 알겠습니까?"

"네에……."

입을 함부로 놀리면 재미없을 거라는 눈빛에 엠버는 다급히 고개를 끄덕일 수밖에 없었다.

"그럼 오늘은 저희 요원과 함께 계시고, 내일 짐을 옮기도록 하시죠."

"따라오세요."

FBI 요원의 안내에 엠버 버드가 자신의 방으로 향하자, 종혁은 고개를 돌려 안방으로 향했다.

"어때, 드롭?"

불이 모두 꺼진 방.

몇 개의 분할된 화면을, 이 근방에 쫙 깔린 엄지 손톱만 한 크기의 초소형 카메라들이 촬영하는 영상을 보고 있던 드롭이 고개를 젓는다.

"어떻긴…… 지독하지."

벌써 몇 시간째인지 모른다. 골목의 어둠에 숨어 엠버 버드의 방만 쳐다보는 게.

"봐. 미동도 없어."

다른 FBI 요원들이 노아 해밍턴의 인식 밖에서 찍고 있는 열화상 카메라와 적외선 카메라가 아니었다면, 이미 자리를 떴거나 얼어 죽었을 거라고 착각을 할 만큼 미동도 없는 노아 해밍턴.

몸 여기저기, 심지어 신발에서도 발산되는 열기. 핫팩의 힘으로 버티고 있는 거였다.

"저번에도 느꼈지만 정말 지독하네."

예전 러시아에서 특수부대 및 정보기관 교관들을 가르쳤을 때 그들에게 배웠던 저격수의 행동을 그대로 하고 있는 그.

종혁의 눈빛이 가라앉았다.

'벌써 몇 차례나 엠버 버드의 동선을 확인했어.'

지금쯤이면 나름의 계산을 끝내고 혹여 있을지도 모르는 변수까지 대비해 뒀을 터.

즉, 지금 당장 쳐들어온다고 해도 이상할 게 없었다.

지이잉!

—최, 나야!

"몰리?"

—7번째 살인을 목격한 사람이 있었어!

엄밀히 말하자면 카운터 살인마의 얼굴을 본 목격자는 아니었다.

사건 발생 당시, 그 근처를 우연히 지나다 범행을 저지른 뒤 현장을 빠져나가려던 카운터 살인마와 마주쳐 도망쳤다는 목격자.

'이거였구나!'

놈이 굳이 8번째 피해자인 에덤 폴의 집으로 들어간 이유.

놈은 정말로 방해를 받을 뻔한 거다.

"그래서 언제든 발생할 수 있는 이 변수를 없애려고 집 안으로 침입한 거였어……. 고마워요, 몰리!"

전화를 끊은 종혁은 주먹을 꽉 쥐었다.

확신이 섰다.

"드롭, 놈은 무조건 엠버의 집 안으로 들어올 겁니다. 아니, 집 안으로 들어올 수밖에 없겠죠."

드롭을 그렇게 말하는 종혁을 경이롭다는 듯 응시했다.

빌린 집만 여섯 채에다 투입된 FBI 요원만 열다섯 명이 넘지만, 이전과 딱히 달라진 게 없는 트랜턴 거리.

심지어 창문에 걸린 커튼, 거리의 차까지도 똑같다. 종혁이 모두 그대로 구매해 버렸기 때문이다.

놈은 덫이 있는 것도 모르고 들어올 수밖에 없었다.

종혁은 CCTV 화면을 보며 주먹을 쥐었다.

"자, 들어와라."

이제부터가 본격적인 시작이다.

목표를 노리는 사냥꾼이 이상한 낌새를 눈치채고 도망을 치냐, 아니면 그 사냥꾼을 노리는 사냥꾼들이 사냥에 성공을 하냐.

그렇게 피 말리는 눈치 싸움이 시작됐다.

* * *

달칵!

불이 꺼진다.
그와 동시에 한층 더 조용해진 거리.
그리고 거리는 시간이 지날수록 적막에 젖어든다.
1시간, 2시간, 3시간.
새벽 3시가 되자 거리는 가로등 불빛을 제외하면 완벽히 어두워진다.
"후우."
하얀 입김을 쏟아 낸 노아 해밍턴이 몸을 풀며 저번엔 챙겨 오지 않아 아쉽게 돌아서게 만든 살인 도구들을 늘어놓는다.
두 자루의 칼과 열쇠수리공에게 돈을 주고 기술을 배우며 구입한 락픽.
'CCTV는 여전히 없고.'
주차된 차들에 블랙박스도 없다는 걸 확인한 노아 해밍턴은 타 버릴 듯 뜨거운 목을 어루만졌다.
지독하다. 얼른 이 갈증을 달래 줄 피가 필요했다.
이제 더 이상 참을 수 없었다.
도구들을 챙겨 든 그는 몸을 움직여 엠버 버드의 싸구려 아파트 입구에 서서 락픽을 집어넣었다.
도르륵! 찰칵, 찰칵, 철컥!
손쉽게 열리는 입구.
노아 해밍턴은 마치 자신이 사는 아파트인 양 거침없이 계단을 올라 엠버 버드의 집 앞에 섰다.
'복도에도 여전히 CCTV가 없고.'

소음도 없다.

숨이 막힐 정도로 고요한 복도와 엠버 버드의 집.

노아 해밍턴은 엠버 버드의 현관문에 거침없이 락픽을 집어넣었다.

이번에도 너무도 쉽게 열리는 문.

돈이 제값을 했음에 흡족히 웃은 노아 해밍턴은 곧바로 안방으로 향했다.

'문이 열려 있군.'

좋다.

살짝 열린 문을 통해 안방으로 발을 내디딘 노아 해밍턴은 코를 찌르는 술 냄새와 침대 위에서 등을 돌린 채 옆으로 누워 자고 있는 목표의 모습에 입술을 핥았다.

목에 칼을 꽂기 딱 좋은 자세.

가죽장갑을 낀 노아 해밍턴의 손이 목표의 목에 닿는다.

두근! 두근!

"……너희 같은 해충들은 왜 이렇게 살려고 하는 걸까."

그러나 이 혈관이 끊기면 어떻게 될까.

뇌로 가는 피가 천천히 멈출 거다. 그리고 목이 찢긴 아픔에 아무것도 하지 못한 채 괴로워할 거다.

"하아아. 너흰 해충이야. 너희 같은 놈들은 죽어야 해. 그리고 난 그런 해충을 처리하는 자."

달뜬 신음을 뱉은 노아 해밍턴은 흥분을 더 고양시키며 칼을 높이 들었다.

푸우욱!

"……어?"

노아 해밍턴은 목표를 찍지 못하고 엄한 매트리스를 찍은 칼과 갑자기 옆으로 구른 목표를 멍하니 쳐다봤다.

여태껏 단 한 번도 없었던 상황이라 잠시 이해를 하지 못했던 노아 해밍턴은 곧 일어선 목표, 아니 전혀 모르는 여성과 이쪽을 향해 겨눠진 총에 눈을 부릅떴다.

"빌어먹을!"

다급히 몸을 돌리는 노아 해밍턴.

그 순간이었다.

콰아앙!

순간 현관문 쪽에서 들린 폭탄이 터진 듯한 굉음.

쿵! 쿵! 쿵! 쾅!

노아 해밍턴은 안방의 문을 부수며 난입한 괴물에 경악했고, 입술을 함지박하게 비튼 종혁은 단숨에 반사적으로 칼을 휘두르려는 그의 팔을 잡아 어깨에 걸쳐 투석기처럼 메쳤다.

"존나 만나고 싶었다, 씨방새야!"

뿌가아악!

2장. 놈들의 흔적

놈들의 흔적

카운트 살인마 검거!

미 동부를 두려움에 빠트렸던 카운트 살인마!

친절한 이웃으로 위장한 살인마, 노아 해밍턴!

카운트 살인마, 노아 해밍턴! 피해자는 여덟 명이 아니었다?!

노아 해밍턴의 집에서 발견된 16자루의 칼!

팔꿈치가 박살 나고, 목뼈가 부러진 카운트 살인마! 과잉 진압?

전치 36주! 반신불수가 된 카운트 살인마!

담당 검사, 노아 해밍턴에게 462년 구형?

"아니……."

기자들과 담당 검사에게 시달리고 돌아온 캘리 그레이

스가 탕비실에서 도넛을 흡입하며 동료 FBI들과 낄낄거리는 종혁의 모습에 입술을 달싹였다.

할 말이 참 많아 보이는 그녀.

"어…… 음. 보스도 하나 드실래요?"

"……하아. 커피도."

"옛썰."

해 놓은 짓이 있기에 종혁은 냉큼 커피를 대령했고, 커피 한 모금으로 잠시 마음을 진정시킨 캘리가 입을 열었다.

"대체 왜 그랬지?"

열이 올라서 그런지 말이 거칠어진 그녀.

그럴 수밖에 없었다.

팔꿈치는 수술을 해도 회복을 기대하기란 요원했고, 거의 2미터 높이에서 땅바닥에 처박힌 안면은 재건 수술을 해야 된다.

그리고 무엇보다 목뼈가 부러져 하반신 마비가 왔다. 노아 해밍턴은 이제 다른 사람이 떠먹여 주는 음식만 먹을 수 있고, 대소변은 남이 처리해 주는 끔찍한 삶을 살아야만 했다.

"차라리 총을 쏴 버리는 게 낫지 않아?"

"그럼 죽을 수도 있잖습니까."

그럼 노아 해밍턴에게 살해당한 피해자들의 한과 넋은 어떻게 위로해야 되는가.

놈의 집을 압수 수색을 하며 발견된 16자루의 칼.

거기에서는 기존에 알려진 8명의 피해자뿐만 아니라

수많은 미제 사건의 피해자들 혈흔이 검출되었다.

이놈은 파악하고 있던 것 이상으로 끔찍한 악마였던 것이다.

심지어 자신의 같잖은 잣대로 사회에 쓸모없는 해충이라며 살인을 저지른 노아 해밍턴. 이런 말도 안 되는 이유였으니 그동안 도무지 알 수 없는 것이 당연했다.

이 사실을 알게 된 이후, 종혁은 오히려 놈에게 더 끔찍한 고통을 주지 못한 것이 아쉬울 지경이었다.

“그딴 개새끼한테 죽음은 사치죠.”

놈은 오랫동안, 아주 오랫동안 괴로움과 후회 속에 살다가 죽어야 했다.

흠칫!

“……안 죽일 자신이 있었다는 거네.”

“에이. 이 짓 한두 번 해 보는 거 아니고.”

회귀 전후로 해서 병신으로 만든 범죄자가 몇 명이던가. 이 정도 힘 조절은 기본이었다.

“최가 특별한 거야?”

“몇 년 전까지 한국 경찰에게 있어 총이란 범인의 대가리에 던져서 맞춰 잡으라고 있는 거지, 쏴서 잡으라고 있는 게 아니었거든요. 그래서 뭐…….”

부악부악!

원투가 허공을 가르자 살벌하게 들려오는 소리.

“한국에선 칼 든 놈들 네다섯 정도는 맨손으로 대가리를 깨 버릴 줄 알아야 형사라 불리죠.”

“……진짜 가 보고 싶네, 한국.”

“하하. 언제든 놀러 오십쇼. 풀코스로 찐하게 대접해 드릴 테니!”

캘리는 능글맞은 종혁의 모습에 고개를 저었다.

“하아. 아무튼 노아 해밍턴은 판사가 누가 됐건 최소 200년 이상은 선고될 거야.”

노아 해밍턴이 저지른 1급 살인만 16건이다.

놈에게 설령 징역형이 내려진다고 한들, 놈은 죽어서도 사회로 나올 수 없었다. 죽기 직전까지는 교도소 병원에서, 죽은 후에는 교도소 묘지에서 썩게 될 테니 말이다.

“아, 그리고 휴가계 승인했어. 내일부터야.”

이번엔 무려 9박 10일이다.

연수생 신분으로 말도 안 되는 일이지만, 종혁이 FBI가 된 지 반년도 안 되어 해결한 초대형 사건이 벌써 둘이다. 이 정도는 얼마든지 용인해 줄 수 있었다.

“오오오! 감사합니다, 보스!”

“어디로 갈 생각이야?”

“언제나 따뜻한 도시요.”

마이애미.

놈들의 흔적이 남은 도시.

종혁의 눈이 흉흉하게 번들거리기 시작했다.

*   *   *

—최 팀장.

"예, 국장님."

—최 팀장.

"왜요."

—흐흐. 잘하고…… 푸흐흐, 잘하고 있어! 으하하하하핫!

'이 양반이 뭘 잘못 잡수셨나. 왜 이래?'

—으하하하핫! 켈록켈록!

—아, 좀 내놔 봐요!

—악! 자, 잠깐!

—최 팀장아. 나야, 나! 백 과장! 방금 이 양반이 약 먹어서 놀랐지? 다름이 아니라 최 팀장이 그쪽으로 연수 간 다른 간부들을 찍어 눌러서 그래.

"아."

생각해 보니 그랬다.

미국에 연수를 온 간부가 종혁만 있는 것은 아니니, 이곳에서 다른 한국의 경찰을 마주치는 일이 있을지도 몰랐다.

"FBI 뉴욕 지국엔 연수 온 다른 경찰은 없는 거 같던데요?"

—아, LA랑 시카고 지국에 가 있거든.

"아이고, 하필이면……."

—응? 왜?

"LA, 거기 마굴이잖아요."

그냥 마굴로 아닌 갱단들이 판을 치는 마굴이다.

범죄의 도시라 불리는 뉴욕도 저리 가라 할 정도로 미국에서 갱단들이 가장 많이 자리하고 있는 도시, 갱단의 수도 로스앤젤레스.

언제, 어느 곳에서든 총격 사건이 벌어지더라도 놀랍지 않은 도시다. 그래서 LA로 발령이 났다고 하면 가슴에 유서를 품고 살아야 한다고 할 정도다.

그리고 시카고는 미국 내에서도 상남자, 아니 상또라이들만 모여 있는 도시. 아직 초등학교도 가지 않는 자식의 생일 선물로 총을 줄 만큼 막장인 도시다.

–진짜? 푸하하하하하! 진짜?!

'어우.'

종혁은 고생하고 있을 이름 모를 간부들을 향해 잠시 묵념을 했다.

–근데 지금 어디야? 갈매기 소리가 들리는 것 같은데?

"아, 마이애미요."

–응? 거긴 왜?

"서핑하러 왔습니다."

–……?

"끊을게요."

–자, 잠깐! 최 팀장, 나는! 나는–!

통화를 종료한 종혁은 오택수에게 전화를 걸었다.

–팀장님–! 잘 계셨어요? 몸은 좀 어떠세요!

"어? 오 경감님은?"

—몰라요. 똥 누다 뒤졌을 거예요. 그보다 이번에 소식 들었습니다! 캬아! 역시 팀장님! 진짜 보고 싶어…… 억?!

—내놔, 새끼야. 어, 최 팀장. 무슨 일이야?

오택수가 전화를 넘겨받자 종혁은 가라앉은 목소리로 입을 열었다.

"조희구, 그놈은 좀 어때요?"

—아, 투자 규모를 더 늘렸다고 하더라.

"계속 주시해 주세요. 곧 튀려고 할 테니까."

—……그래, 알겠다.

이후 오택수, 최재수와 조금 더 통화를 하다 종료한 종혁은 생각에 잠겼다.

의료기기 폰지 사기, 바이칼호 보물선 인양 사기.

이 두 가지만 하더라도 벌써 6조 원에 가까운 돈이 모였다. 그리고 그중 상당한 금액이 종혁의 돈이었다.

무고한 피해자가 더 발생하지 않게끔 놈들이 모으려는 돈을 대신 채워 넣어 준 종혁.

'덕분에 회귀 전보다 많은 돈이 모였어. 지금 당장 발을 뺀다고 해도 이상하지 않아.'

"거기다 여기에 있었던 놈들까지……."

종혁은 앉아 있는 벤치의 등받이 뒤로 고개를 젖히며 담배를 물었다.

그러며 주머니 속 USB, CIA가 건네준 USB를 만졌다.

"총 피해액 4628만 달러, 종교 사기."

놈들이 이곳 마이애미에서 저지른 범죄다.

무려 10년 전부터 시작된 사기로, 지금은 마이애미 인근에 종교에 빠진 이들로 형성된 마을이 있을 정도로 거대한 사기였다.

그리고 그 종교를 세운 사이비 교주이자, 마약 카르텔 보스였던 인물의 오른팔이 바로 보셀리 피에트로의 저택에서 발견했던 사진 속에 찍혀 있는 자였다.

"푸후우. 씹새끼들. 진짜 크네."

김경후를 통해서 세계 각국에 놈들의 지부, 정확히는 파견된 사원들이 활동하고 있다는 걸 듣긴 했지만 파고들수록 드러나는 놈의 규모는 상상 이상이었다.

"후우우."

'그래서 너흰 어느 기획실 소속이냐?'

종혁의 눈이 차갑게 번들거리기 시작했다.

"최!"

"아, 씨발. 내 눈."

흑인 FBI 요원 드롭이 상체를 드러낸 채 다가오는 모습에 종혁은 눈을 감았다.

그리고 드롭의 옆엔 사람인지 짐승인지 구분이 안 갈 정도로 털이 많은 벤이 딸기맛 아이스크림을 핥고 있었다.

"와, 최! 여기 진짜 죽인다!"

"여긴 천국이야, 최!"

마이애미 해변가의 비키니 입은 여성들을 보며 흥분하는 두 삼십대 유부남. 종혁이 마이애미로 간다는 말에 같이 휴가를 내고 가족들과 함께 따라온 거머리들.

"에라이."

'확 꼰질러 버릴까 보다.'

종혁은 지금 한창 쇼핑에 신나 있을 둘의 아내들을 떠올리며 간질거리는 입술을 달싹였다.

* * *

치이이익!

고급 주택가가 있는 마이애미 비치, 서프사이드의 커다란 저택.

"와아!"

커다란 풀에서 아이들이 수영하며 뛰어놀고, 썬베드에 누운 벤과 드롭의 아내들은 칵테일 한 잔과 함께 하하호호 이야기를 나눈다.

여기에 바비큐 그릴 앞에 서서 집게와 맥주를 들고 있는, 집에 잘 들어오지 않는 남자들까지.

한 편의 미국 드라마 같은 풍경이다.

"자, 건배!"

캔맥주를 들이켜고 거칠게 고기를 뜯는 남자들.

"크으으!"

"그래! 이게 휴가지!"

복작복작 사람 많은 놀이공원이나 해변이 아니라 이런 조용하고 따뜻한 곳에서 차가운 술을 마시는 게 바로 힐링이다.

종혁도 선선히 불어오는 마이애미의 겨울바람을 맞으며 미소를 지었다.

'좋네.'

"최."

"응? 왜요, 벤?"

"이런 건 얼마나 해?"

"글쎄요? 천만 달러?"

예전에 CIA가 선물로 준 별장이라 정확한 가격은 모른다.

"아, 그래. 다음 세상에서나 살 수 있는 거구나. 오케이. 이해했어."

"이해하긴 뭘 이해합니까. 왜요. 헬레나가 물어보래요?"

벤의 아내인 헬레나. 현재 12살 딸과 8살 아들을 뒀음에도 이십대 중반으로 보이는 극한의 동안 미녀다.

참고로 드롭의 아내는 무려 4남매의 엄마다.

움찔!

종혁은 몸을 굳히는 벤과 드롭을 보며 피식 웃었다.

"어머니가 투자의 귀재시고, 아직 여자친구 만들 생각 없습니다."

놈들을, 그리고 그 뒤에 있는 어르신이란 새끼를 모두 검거한 이후라면 모를까 아직은 생각이 없다.

지켜야 할 것이 늘어날수록 행동의 제약이 생기니까.

"지금은 위를 바라보는 것만으로도 바빠요."

"……헬렌! 생각 없대!"

"벤-!"

어깨를 으쓱인 벤과 드롭은 맥주를 들이켰고, 키득키득 웃은 종혁도 캔맥주를 입에 가져갔다.

제법 휴가다운 휴가라고, 다음엔 어머니 고정숙과 함께 와야겠다고 생각하며 말이다.

그때였다.

옷을 툭툭 잡아당기는 손.

“응? 로니?”

드롭의 9살 아들, 로니.

“최, 같이 놀아요.”

로니뿐만이 아니다. 어느새 몰려든 벤과 드롭의 아이들이 어느 애니메이션의 장화 신은 고양이처럼 종혁을 쳐다보고 있었다.

종혁의 입가에 절로 미소가 그려졌다.

“어디 그래 볼까! 읏챠!”

“꺅!”

“악?!”

아이들 여섯을 단숨에 끌어안은 종혁.

“자, 놀자!”

종혁은 그대로 수영장을 향해 몸을 날렸다.

풍더엉!

“꺄아아악!

“와아아아!”

이틀 전까지만 해도 주인이 찾지 않아 적막했던 저택이 시끌벅적해져 갔다.

* * *

끼룩끼룩!

갈매기가 우는 이른 아침.

민소매를 입은 종혁이 해변을 뛴다.

"하이."

"헬로."

눈이 마주치자 인사를 하는 사람들. 종혁처럼 운동을 하기 위해 해변을 찾은 사람들이다.

마찬가지로 화답을 하며 해변의 끝까지 뛰어갔다 온 종혁은 이제야 깨어나기 시작한 저택에 피식 웃었다.

"어우. 죽겠다. 어제 너무 많이 마셨…… 나이가 무기네."

"하하. 아, 오늘은 따로 움직여요."

"응? 무슨 일 있어?"

"네. 그럴 일이 있어요."

마이애미에 온 이유.

드디어 접견 신청이 떨어졌다.

종혁은 어리둥절해하는 벤과 드롭을 보며 싱긋 웃었다.

* * *

투두두두두두!

미국 남부 겨울의 푸른 하늘을 가로지르는 헬기 안.

하얀색 린넨 셔츠와 선글라스를 낀 종혁이 헤드셋을 누르며 입을 연다.

"헨리에게 고맙다고 전해 주세요!"

—친구에게 이 정도는 얼마든지 해 드릴 수 있습니다, 최! 아, 다 왔군요! 저기 저 교도소입니다!

테러범, 마피아 두목, 연쇄 살인마 등 마이애미, 아니 플로리다주의 흉악범들만 가둬 놓는 교도소.

면회조차 안 되고, 같은 수감자와의 대화는커녕 하루 운동 시간인 1시간을 제외하면 오직 독방에서만 지내야 하는, 범죄자에겐 지옥과 다름이 없는 교도소.

종혁도 CIA의 도움이 아니었다면 면회를 할 수 없었을 정도로 철통 보안을 자랑하는 교도소다.

종혁은 영화나 드라마에서 본 것과 똑같은 생김새의 교도소에 눈을 빛냈다.

'디에고 가르시아.'

마약 카르텔의 보스이자 사이비 교주.

'이용을 당한 걸까, 아니면 배신을 당한 걸까.'

둘 중 무엇이든 놈들에게 감정이 좋지 않을 터.

"그럼…… 뭐든 나오겠지."

종혁의 눈빛이 차갑게 가라앉았다.

* * *

뚜벅뚜벅.

철문이 줄줄이 늘어선 하얀색의 복도.
"독방 안에 두 대의 CCTV가 설치되어 죄수들이 자해 등 이상 행동을 보일 땐 곧바로 대처합니다."
교도소 내에서 대기하고 있는 의료팀이 어떻게든 목숨을 살린다. 거의 대학 병원 의사급의 실력을 갖춘 의사들.
그렇다고 자해가 쉬운 것도 아니다.
철문 안쪽은 부드러운 재질로 감싸여 있으며, 콘크리트로 지어진 침상은 벽에 붙어 있다. 세면대와 화장실도 사람 손으로는 어떻게 할 수 없는 스테인리스.
식사도 강화 플라스틱으로 만든 스푼 하나만 제공된다.
"마음대로 죽지 못한다는 거군요."
"이런 놈들에게 죽음은 사치죠."
종교 방송이 흘러나오는 8인치 작은 TV와 하루 3권의 책만이 이들에게 허락된 유일한 오락.
그 외엔 편지도, 가족이나 지인의 선물도 반입될 수 없다.
'교화, 교정, 회개 그딴 건 필요 없다는 건가.'
솔직히 부러웠다. 청송 교도소가 이곳과 비슷한 시스템을 차용하긴 했지만, 이곳과 비교하면 어린아이 장난이라고 할 수 있었다.
'한국에도 이런 교도소가 많아졌으면 좋으련만…….'
"여기서 기다리시면 됩니다."
그리 크지 않은 규모의 간수 식당.
"이건 수고하셨으니 외출 나가실 때 동료분들과 술한

잔 하세요."

"큼. 금방 데려오겠습니다. 아, 담배를 피우시려면 저기 재떨이를 쓰시면 됩니다."

슬그머니 종혁이 준 봉투를 주머니에 넣은 간수는 얼른 몸을 돌렸고, 그 모습을 가만히 응시하던 종혁은 이내 간수의 말대로 재떨이를 가져와 빈 테이블에 앉으며 담배를 물었다.

"흠. 법무부 쪽에 끈이 닿은 사람이 있던가?"

아무리 생각해도 이 백색 지옥이 마음에 든다. 한국에 이런 교도소가 다섯 개만 더 있어도 범죄가 줄어들 것 같은 느낌.

"인권 단체를 움직여 봐?"

종혁은 제법 진지하게 고민했다.

그렇게 시간이 얼마나 지났을까.

바깥에서 쇠사슬이 흔들리는 소리가 들려왔다.

철컥, 철컥.

종혁은 이내 곧 간수와 함께 문을 열고 들어오는 노인, 디에고 가르시아를 보며 몸을 일으켰다.

목의 문신과 죄수복만 아니었다면 화이트칼라 직종에 종사하는 사람이라고 해도 믿을 정도로 멀끔한 인상. 뿔테 안경이 그런 이미지를 더 부각시킨다.

'매일 씻는다?'

매일 씻는 사람과 그렇지 못한 사람은 차이가 있다.

이는 디에고 가르시아에게 정신적으로 이상이 없단 소

리였다. 이런 지옥에서 거의 10년이나 썩었음에도 불구하고도.

굉장히 이상했다.

하지만 그 이유는 곧바로 밝혀졌다.

"반갑습니다, 미스터 가르시아. FBI의 최입니다."

"반갑습니다. 디에고라고 불러 주십시오, 형제님."

'종교의 힘이군.'

종교의 힘으로 이겨 내고 있는 거다. 매일 성경을 소리 내어 읽는 듯 말도 어눌하지 않았다.

헛웃음이 터져 나왔다.

"그럼 이야기 나누십시오. 1426번, 허튼짓할 생각 마라."

"걱정 마십시오."

고개를 끄덕인 간수가 식당을 빠져나가자 종혁은 자리를 권했다.

"FBI가 저 같은 죄인에게 무슨 용무가 있으신지 모르겠군요."

눈빛이 초탈하면서도 단단하다.

'어째서 그렇게 당당하지?'

마약 카르텔의 보스답게 마약으로 신도들을 끌어모은 디에고 가르시아. 뒷목이 뜨끈해진다.

종혁은 싱긋 웃으며 입을 열어다.

"당신의 오른팔, 앤디 가르시아."

움찔!

순간 깨져 버린 디에고 가르시아의 평온.

그제야 마음에 드는 얼굴을 하는 그의 모습에 종혁의 미소가 짙어졌다.

"아, 그러고 보니 곧 점심시간이네. 일단 뭐 좀 먹고 할까나?"

종혁이 테이블 위에 내려놓는 음식을 본 디에고 가르시아의 눈이 크게 흔들렸다. 오직 신앙의 힘으로 버티던 이 지옥 속에서도 매일 밤 간절히 원했던 단골 식당의 음식인 탓이었다.

이 냄새를 어찌 잊을 수 있을까.

스윽!

종혁은 음식을 옆으로 치우며 입술을 비틀었다.

"야, 먹고 싶냐?"

'먹고 싶으면 불어.'

너무 사소해 까먹었던 기억까지 모두.

종혁의 눈빛이 흉흉해졌다.

* * *

과거, 어느 날 갑자기 조직에 들어오고 싶다며 찾아온 동양인 앤디 가르시아.

어렸을 적 입양되어 멕시코에 왔다고 했는데, 거짓은 아니었는지 멕시코 문화를 매우 잘 알았고 멕시코인들만 쓰는 은어에도 능통했다.

"갑자기 찾아왔는데 아무런 의심도 하지 않았던 겁니까?"

"의심을 하기엔 제게 아무것도 없었습니다."

당시 그의 조직은 일가친척 여섯 명으로 구성된, 작은 마을에서 소소하게 마약을 유통하며 생계를 유지하는 수준에 불과했다.

코딱지만 한 그의 조직이 FBI나 DEA, 마이애미 폴리스의 타깃이 될 리 만무할뿐더러, 애당초 앤디가 그런 수사기관의 소속이라고는 생각하기 어려웠다.

지금은 많이 나아졌으나, 과거엔 인종 차별이 정말 극심했던 미국.

흑인 가수나 배우, 스포츠 스타들이 활약하며 흑인들의 인식은 점점 나아지고 있었으나, 그들 같은 히스패닉이나 동양인은 그렇지 못했다.

흑인들이 화이트칼라 직종에 진출할 때 히스패닉과 동양인은 노동자 계급을 벗어나지 못했다.

그래서였을까.

비슷한 처지인, 심지어 같은 성을 지닌 그에게 동질감을 느끼고 더욱 곁에 뒀던 것일지도 몰랐다.

"혹시 그에게 이런 문신이 있었습니까?"

디에고 가르시아는 종혁이 내민 사진 속 문신을 보곤 고개를 끄덕였고, 종혁은 순간 치미는 분노에 뒷목을 잡았다.

'하, 이 새끼들 봐라?'

앤디 가르시아가 디에고 가르시아를 찾아온 것은 1989년.

잘못 생각했다. 놈들 조직의 역사는 80년대부터, 아니 어쩌면 그 이전부터 시작됐을 수도 있었다.

이제는 정말 질려 버릴 정도였다.

“처음에 앤디는 심부름꾼에 불과했습니다.”

뭘 사 오라면 사 오고, 뭘 가져오라면 가져오는 심부름꾼.

“심지어 콘돔 심부름에도 얼굴 한 번 구기지 않았죠.”

앤디 가르시아는 그런 것들로 믿음을 쌓았고, 결국 마약 판매까지 맡게 됐다.

“그런데 두 시간 만에 팔아 오더군요.”

겨우 2그램에 불과한 양이었지만 빨라도 너무 빨랐다.

“이유를 물어보니 주님께서 보살피셔서 그랬다고 하더군요.”

“주님?”

“예.”

“흐음. 그래서요?”

당시만 해도 어이가 없었던 대답이었다. 그런데 그 이후로도 앤디는 늦어도 이틀 만에 마약을 모두 팔았다.

“그때마다 주님을 이유로 댔습니까?”

“예. 아무튼 그렇게 존재감이 커져 갔습니다. 그러자 사촌들이 못마땅해하기 시작하더군요.”

“그리고 시기하던 사촌들은 불의의 사고로 불구가 되거나 죽었겠죠.”

흠칫!

"마, 맞습니다. 그걸 어떻게……."

"놈은 그런 놈이니까요."

정확히는 놈들의 조직의 성향이.

방해물은 회유하기보다 치워 버리는 걸 택하는 놈들.

"……그렇게 조직엔 저와 앤디만 남게 됐습니다. 저도 크게 다칠 뻔했죠."

"그걸 놈이 구했을 거고."

그런데 이후부터 조직은 더 번창했을 거다.

"그때도 주님을 들먹이진 않았습니까? 당신도 주님께서 보살핀다고?"

"……?!"

디에고 가르시아는 소스라치게 놀랐다.

정확했다.

'개새끼!'

아무래도 이놈 같다. 디에고 가르시아를 사이비 교주로 만든 게.

세뇌. 놈은 계속 디에고 가르시아를 세뇌했던 거다.

"그렇게 몇 년 만에 당신의 오른팔이 됐죠?"

"……1년입니다."

불과 1년. 생각해 보니 앤디 가르시아는 고작 1년 만에 오른팔이 됐고, 자신의 조직은 그 1년 만에 동네를 모두 먹어 버렸다.

자신의 조직까지 합해 고만고만한 조직 서너 개가 아옹다옹 각축을 벌이던 걸 1년 만에 평정한 거다.

“그때마다 상대 조직에 불미스런 일들이 일어났습니까?”
“예, 예.”
뭔가를 깨달은 디에고 가르시아의 낯빛이 굳어 갔다.
“의심을 해 볼 생각은 당연히 안 해 봤을 테고요.”
“그랬습니다…….”
당시엔 자신감이 가득 찼을 때였다. 정말 주님께서 자신을 축복해 주는 거라고 여겼다.
“……그때 앤디가 은밀히 권유를 하더군요.”
마약 농장을 만드는 게 어떻겠냐고.
“굳이 멕시코에서 마약을 들여오지 말고 직접 만들어 비용을 아끼자고 했습니다.”
괜찮은 생각이라 곧바로 인적이 없는 산을 구해 마약을 재배했다. 양귀비부터 대마까지 모두.
그곳이 디에고 가르시아가 만든 사이비 교단 마을의 시초였다.
처음엔 약을 살 돈이 없는 중독자들이나 자신의 조직에서 돈을 빌렸다가 갚지 못하는 이들을 데려다 일을 시켰다.
“그러다 보니 어느새 전 주님의 말을 대변하는 존재가 되었더군요.”
“세상엔 어느새란 없습니다, 디에고.”
“……생각을 해 보면 앤디와 같이 동네의 성당을 다닐 때부터인 것 같습니다.”
그때부터 밑밥이 깔린 것 같다.

"함께 성당을 다니게 되자 저에게 봉사를 하는 게 어떻겠냐고 제안하더군요. 조직의 상황도 괜찮아졌고, 당시 사촌들을 잃고 많이 힘들었던 터라 위안 삼을 겸 받아들였죠."

그렇게 하루에 한 끼도 잘 먹지 못하던 이들에게 빵과 우유를 나눠 줬다.

작지만 학교도 세우고, 이민자들만을 위한 병원도 세웠다.

그렇게 동네엔 없어서 안 될 사람이 되어 갔다.

"흠. 그럼 그때 보셀리 피에트로를 만난 겁니까?"

"피에트로…… 아, 뉴욕의. 예, 아마 그럴 겁니다."

자신감은 하늘을 뚫었고, 결국 하지 말아야 할 생각을 하게 됐다.

"내가 이렇게 성공하는 건 주님이 날 특별하게 여기기 때문이다. 나는 주님께서 이 땅의 힘든 자들을 구원하기 위해 내린 구원자요, 성자다."

정말 바보 같은 생각이었다.

그리고 감히 성자를 자칭한 그 죄에 대한 벌을 톡톡히 받게 됐다. 지금 이런 꼴이 되는 걸로.

"놈의 취미는 뭐였습니까?"

"음. 딱히 없었습니다."

마리화나만 조금 피웠을 뿐, 술이나 마약도 하지 않았다.

'마리화나? 체크.'

한 번 마약에 맛들인 놈은 거의 벗어나질 못한다.

"만나는 사람은요? 조사하지 않았다는 개소리는 하지 마세요."

사람은 가진 게 많아질수록 의심이 많아지는 법이다.

그리고 그 가진 것이 남에게서 빼앗아 쌓아 올린 자라면 더더욱.

"……웬 동양인과 정기적으로 만나거나 통화를 하긴 했습니다. 앤디가 그를 버쟁? 브랭? 그렇게 부르더군요."

번쩍!

"부장?"

"아, 그겁니다. 부장."

"그에 대해 다른 아는 건 없습니까?"

"둘이 자주 만나던 장소는 기억하고 있습니다. 적을 것 좀……."

"그냥 말해요. 그런 건 반입 불가니까."

"예. 거기가……."

디에고 가르시아는 놈들이 접선하던 장소에 대해 설명해 주었고, 그것을 모두 들은 종혁은 코웃음을 쳤다.

'말은 앤디 앤디 하지만, 원한이 깊네.'

자신의 뒤통수를 친 것도 모자라 돈을 모두 가지고 튀었는데 원한이 깊지 않을 수가 없을 터.

그러니 이런 걸 모두 기억하는 거다.

'주님? 좆까라, 새꺄.'

"이 외에 자주 통화하던 사람은 없습니까?"

"가족과 통화를 하는 것 같긴 하더군요. 전화번호는 모릅니다.”

상관없다. 그건 FBI나 DEA의 자료, 혹은 당시 통화기록을 살피면 될 테니 말이다.

“그걸 당신 외에 아는 사람은요?”

“두 명 더 있습니다.”

당시 앤디 가르시아를 감시하기 위해 붙인 부하들이 있다.

그들의 이름까지 말한 디에고 가르시아의 눈이 흔들린다.

“저, 그러면…….”

“예. 드세요.”

“가, 감사합니다.”

얼른 음식을 가져온 디에고 가르시아는 새우가 올려진 타코를 입안으로 가져갔다가 덜컥 굳어 버렸다.

입안에서 퍼지는 알싸하고 매운 향신료와 새우의 탱탱하고 달큰한 감칠맛을 감싸는 고소한 또띠아의 하모니.

이 맛이다. 그토록 그리워했던 맛은.

주륵 눈물을 흘린 디에고 가르시아는 울먹이며 계속 음식들을 먹어 갔고, 종혁은 플라스틱잔에 멕시코 전통 음료인 오르차타와 테킬라를 부어 주었다.

이 맛이 앞으로의 수감 생활을 더욱 지옥으로 만들어 줄 것임을 알기에 종혁은 아낌없이 부어 줬다.

“후우우.”

배가 빵빵하게 찬 디에고 가르시아는 나른하고도 만족스런 미소를 짓다가 아차 했다.

“감사합니다. 덕분에 희미해져 가던 고향의 맛을 다시금 기억할 수 있게 됐습니다.”

“그렇다면 다행이겠네요. 수고하셨습니다.”

“저도 도움이 됐길 바랍니다. 그러니…….”

다신 자신의 평온을 깨지 말아 줬으면 했다.

“전 이곳에서 회개하였고, 진정으로 신을 찾게 됐습니다. 이제 제게 남은 것은 죽어 주님의 곁으로 가는 것뿐.”

더 이상 세상의 일과 엮이기 싫었다.

움찔!

“푸핫……! 푸하하핫!”

배를 잡은 종혁은 끅끅거리며 몸을 들썩였다.

“하아. 야.”

“……이보세요, 요원님.”

콱!

“읔?!”

디에고 가르시아의 멱살을 잡아 일으킨 종혁은 이를 드러냈다.

“개소리하지 마. 살인, 살인 교사, 납치, 인신 매매, 마약 등등 신께서 하지 말라는 짓은 다 한 너 새끼가 천국에 간다고? 고작 회개했다는 이유로? 아니? 넌 지금 뒤져도 무조건 지옥이야.”

피해자의 용서가 아닌, 신의 용서를 받고 천국에 가겠다는 개소리를 어떻게 용납할 수 있을까.

부웅! 쿠당탕!

"크악!"

디에고 가르시아를 옆 테이블에 던져 버린 종혁은 놈이 먹은 음식물들을 정리하며 다급히 문을 열고 들어오는 간수를 향해 손을 들었다.

"끝났습니다."

들어야 할 건 모두 들었다.

이제 남은 건 놈을 흔적을 쫓는 것뿐이었다.

* * *

"앤디 가르시아…… 최가 이자를 찾았다는 건가?"

"예. 보셀리 피에트로가 언급되긴 했지만, 그보단 이자에 대해 궁금해하는 것 같았습니다. 그리고 이건 최가 가르시아에게 보여 준 문신 그림이고, 이건 대화를 녹음한 파일입니다."

CIA 동아시아 담당인 헨리 스미스는 부하 직원이 내민 문신 사진을 보며 눈을 가늘게 떴다.

그리고 부하 직원이 내민 녹음 파일까지 모두 들은 그는 결론을 내렸다.

"피에트로의 여죄를, 놈과 연관된 놈들을 쫓는 게 아니군."

앤디 가르시아를 쫓는 거다. 정확히는 이 문신을.

"그런데 아무래도 앤디 가르시아가 가상의 인물 같습니다."

"뭐?"

"출생 병원도, 학교도, 심지어 입양된 것조차 모두 거짓입니다."

헨리는 눈을 가늘게 떴다.

"……그러고 보니 기억나는 게 있군."

이것과 상관이 있는지 없는지 모르지만, 갑자기 떠오르는 게 있다.

몇 년 전 한국에서 국정원과 함께 대규모 검거 작전을 벌인 적이 있는 SVR. 러시아에 큰 피해를 끼치려 했던 어떤 사기 조직이었다.

이후 SVR은 그 사기 조직과 연관되었다고 생각하는 것인지 몇몇 기업들을 감시하고 있었다.

"흠. 최는 SVR이 쫓는 이 범죄 조직을…… 아니지."

종혁은 그런 성격이 아니다.

차라리 SVR을 미국에 불렀으면 불렀지, 먼저 나서진 않는다.

정이 많지만, 그만큼 기브 앤 테이크가 성격이 강한 종혁.

"으음. 그럼 왜……. 아니, 잠깐? 만약 선후가 뒤바뀐 거라면?"

종혁이 이 문신을 가진 놈들을 쫓는 거고, 러시아가 그런 종혁을 돕는 거라면?

"하! 그랬군!"

종혁과 러시아 사이에 만들어진 긴밀한 유대 관계.

찌리릿!
이제야 좀 알 것 같다. 종혁이 굳이 러시아를 계속 감싸고도는 이유를!
"단순히 러시아가 최에게 먼저 접근해서가 아니었어. 한국 어디에 이놈들이 있을지 몰라서 그런 거였어!"
경찰에도, 검찰에도, 국정원에도 대한민국 곳곳에 이 놈들이 있다고 종혁은 판단한 거다.
"그래서 SVR을 이용했던 거야! 하하핫!"
배를 잡고 웃던 헨리는 돌연 낯빛을 굳히며 부하 직원을 바라봤다.
"린치."
"예."
"찾아."
"예!"
찾아야 한다. 그럼 종혁의 머릿속에 든 것을 러시아보다 먼저 선점할 수 있다.
드디어 CIA가 놈들 조직에 대해 호기심을 가지기 시작했다.

* * *

부우웅.
도로를 달리는 승합차 안.
디에고 가르시아가 일러 준 주소에는 3층짜리 작은 건

물이 있었다.

'SG 인터내셔널. 세광상사.'

1989년, 앤디 가르시아가 디에고 가르시아에게 접근할 때 마이애미에 세워진 회사였다.

그러나 지금은 다른 세입자가 들어와 있었고, 그 회사의 흔적은 찾아볼 수 없었다.

'뭐, 10년도 훌쩍 지난 일이니 어쩔 수 없지.'

아쉽게도 별다른 단서를 얻진 못했지만 상관없었다.

1989년의 한국은 여권법 시행령이 개정되며 해외 여행이 전면 자유화가 되었지만, 그래도 미국으로 여행을 오는 이들이 많진 않았다.

공항을 통과했다면 분명 기록이 남아 있을 터.

당시 미국에 온 이들, 그리고 앤디 가르시아가 자취를 감췄을 때 행방이 묘연한 이들.

이들의 공통분모에 속하는 자 중에 앤디 가르시아가 있을 것이다.

이 부분은 SVR에게 확인을 맡기면 됐다.

'그럼 난 대니 트레호, 페드로 인판테 이 두 놈을 찾으면 되겠군.'

당시 앤디 가르시아를 감시한 디에고 가르시아의 부하들. 어지간히 빡대가리가 아닌 이상 분명 기억하고 있는 게 있을 거다.

"뭘 그렇게 심란하게 중얼거려?"

"응? 아."

정신을 차리는 종혁의 귀로 아이들의 웃음소리가 꽂힌다.

"꺄하하하하!"

"조용! 엄마가 차에 타면 어떻게 하라고 했지?"

"조용히 하라고 했어요!"

순간 입을 다물었던 아이들은 금세 다시 입을 열었다.

"엄마! 엄마! 엄마는 배 타 봤어요?"

"배는 어떻게 생겼어요?"

"얼마나 커요?"

"그, 글쎄? 엄마도 배는…… 아, 배를 태워 주신다는 최에게 물어볼까?"

"이 차를 다섯 개 합쳐 놓은 크기?"

"……우와아아아아!"

"나란히 다섯 대예요? 위로 쌓아서 다섯 대예요?"

"헉! 설마 합체하는 것처럼 다섯 대예요?"

종혁은 눈을 초롱초롱 뜨는 아이들을 향해 흐뭇이 웃어 주었다.

"조용. 계속 떠들면 안 태워 준다."

"헉!"

입을 다무는 아이들의 모습에 그제야 만족스러워한 종혁은 보조석에 앉은 벤을 봤다.

"방금 전에 뭐라고 묻지 않았어요?"

"뭘 그렇게 혼잣말하냐고. 혹시……."

어젯밤 종혁이 몰리에게 신분 조회를 의뢰한 대니 트레호와 페드로 인판테.

"흠. 대체 놈들과 무슨 사이인 거야?"
"개인적인 일이에요. 뭐 그런 것도 있는데, 저렇게 자유분방하게 돌아다니는 사람들을 보니 옛날의 한국이 떠올라서요."
종혁이 선을 긋자 아쉬워하던 벤이 뒷말에 호기심을 드러냈다.
상체를 드러내거나 비키니를 입은 채 조깅을 하는 사람들. 스케이트보드를 타는 사람들.
"한국?"
"예. 90년대에……."
종혁은 야타족과 오렌지족에 대해, 특히 오렌지족의 유래에 대해 설명했고, 벤은 어이없다는 듯 웃었다.
"미국이 못된 걸 가르쳐서 미안해, 최."
"그게 어디 미국 탓입니까."
그냥 애초부터 그럴 놈들이었을 뿐이다.
"아, 다 왔네요."
오늘의 목적지인 요트 선착장.
"우와아아아아!"
"와아아!"
차에서 내린 아이들이 선착장에 줄줄이 서 있는 하얀 요트들을 보며 눈을 동그랗게 뜬다.
"최! 최! 최의 배는 어떤 거예요?!"
"흠. 잠깐만?"
종혁도 CIA에게 선물로 받은 요트를 실제로 보는 건

처음이라 오늘 운전을 맡아 줄 선장에게 전화를 걸었다.
"예. 저희 지금 도착했습니다. 지금 선착장 입구……."
"여깁니다-! 여기!"
고개를 돌린 사람들은 입을 떡 벌렸다.
"……최, 저건 요트가 아니라 크루저 같은데?"
길이만 무려 30미터는 되어 보이는 3층짜리 거대한 요트. 사람들은 그 압도적인 위용에 넋을 잃고 말았다.
그건 종혁도 마찬가지였다.
하지만 그것도 잠시.
"자, 꼬맹이들! 먼 바다로 항해를 떠날 준비 됐습니까!"
"네!"
"이럴 땐 예, 캡틴이라고 하는 겁니다!"
"예, 캡틴!"
"좋아. 그럼 배를 향해 출발-!"
"우와아아아아!"
종혁은 빠르게 달려가는 아이들을 바라보다 어른들을 향해 입을 열었다.
"우리도 가죠."
"……최, 정말 연애에 관심 없어? 아니면 곧바로 결혼은 어때? 일단 여기에 나이는 많지만 외모는 끝장나는 아줌마가 있는데?"
"헬렌!"
음흉한 미소를 짓는 헬레나의 모습에 벤은 좌절할 수밖에 없었고, 드롭은 조용히 달싹이는 아내의 입을 막았다.

* * *

쏴아아아!

그래도 겨울이라고 제법 선선한 바람이 불어오는 바다 위.

맥주캔을 옆에 쌓아 둔 종혁과 벤이 낚싯대를 드리운 채 세월을 낚는다.

"벤, 여기에 올 때까지만 해도 수영한다고 하지 않았어요?"

망망대해 위에서의 수영. 그것이 벤의 버킷리스트 중 하나라고 했다. 그래서 아까도 구명조끼조차 입지 않은 채 다이빙을 했었다.

생각할 게 많은 종혁은 거기에 어울리지 않았지만 말이다.

"최, 나도 아까 물속에 들어가고 나서 기억난 건데 마이애미에는 상어가 많대……."

"아."

에메랄드빛 물을 힐끔 본 종혁은 슬쩍 엉덩이를 뒤로 뺐다.

솔직히 호랑이나 곰과 싸워도 지지 않을 자신이 있지만, 물속에서 상어와 싸우는 건 무리였다.

"뭐야. 무슨 이야기 중이야?"

"응? 애들은요?"

배가 출발할 때만 해도 호들갑을 떨었지만, 계속 바다

만 보이자 결국 흥미를 잃은 아이들.

딱히 물이나 낚시를 좋아하지 않은 드롭은 요트 안에서 놀기로 한 아이들의 감시역을 자처했다.

"잠들었어. 헬렌과 내 와이프는 태닝 중이고."

"어……."

"깜둥이도 태닝을 해. 별로 달라지는 건 없지만. 하하하!"

"그거 엄청 비겁하네요."

흑인은 같은 흑인보고 깜둥이라고 할 수 있지만, 다른 인종은 그러면 안 된다.

"억울하면 깜둥이로 태어나라고, 최! 하하핫!"

"진짜 비겁하네."

"크큭. 그래서 뭐 잡히는 건 있어?"

"없죠."

수심이 너무 깊은 게 아닌가 싶다. 아니면 선장이 포인트를 잘못 잡았거나.

벌써 몇 시간째 허탕을 치니 종혁도 슬슬 인내심에 한계를 느끼고 있었다.

'흠. 슬슬 날도 저물어 가는 것 같은데…….'

부아아아앙!

저 멀리서 마이애미를 향해 달리는 배 한 척을 발견한 종혁은 결정을 내렸다.

"슬슬 돌아갈까요? 어차피 저녁에 예약해 놓은 식당에 가려면 준비할 시간이 필요하니까."

가서 아이들을 씻기는 등 준비할 시간을 생각하면 지금

돌아가야 여유롭게 움직일 수 있을 듯했다.

이런 종혁의 말에 드롭과 벤은 신기하다는 듯 쳐다봤다.

"최, 정말 연애 안 해 본 거 맞지?"

"연애는 안 하고 애는 있는 거 아냐?"

"내가 여자 손목이라도 잡아 봤으면…… 음, 아무튼 애는 없으니까 그만 갑시다!"

"우리한테만 말해 봐."

"선장님! 출발해요!"

그렇게 집에 돌아와 준비를 하고 외식 장소로 향하는 차 안에서 벤과 드롭이 어느새 어두워진 마이애미의 하늘을 보며 아쉬움을 토한다.

"끙. 벌써 휴가도 반이 지났네."

종혁과 달리 4박 5일의 휴가를 낸 벤과 드롭.

다시 활기차진 아이들을 케어하던 헬레나와 드롭의 아내도 아쉬움을 내비친다.

"이제 반절밖에 안 지난 거죠. 아직 두 밤이나 더 여기 있을 수 있다고요."

"하하! 그렇지! 그게 맞지!"

"벤, 오늘 저녁에 야시장이 열린다는데 거기 가 볼까?"

"야시장? 최, 야시장 어때?"

"야시장 좋죠."

특유의 매력이 있는 야시장.

맨날 마시던 맥주도 거기서 먹으면 뭔가가 특별하게 느껴진다.

'어?'

순간 차 앞으로 뛰어드는 작은 그림자.

종혁은 다급히 브레이크를 밟았다.

끼이이익!

"꺅!"

"으악!"

"뭐야. 무슨 일이야!"

"잠시만요?!"

잘못 본 게 아니라면 차에 뛰어든 건 분명 어린아이였다.

다급히 안전벨트를 풀고 차에서 내린 종혁은 차 앞으로 달려갔다가 깜짝 놀랐다.

정신을 잃은 듯 도로에 누워 있는 히스패닉계 여자아이.

종혁은 다급히 여자아이를 안아 들었다.

"야, 꼬마야! 정신 차려 봐!"

아무리 흔들어도 정신을 차리지 못하는 아이.

종혁의 얼굴이 하얗게 질린다.

"벤! 911-!"

* * *

사고가 일어난 장소 근처의 병원 응급실.

"탈진입니다."

약간의 영양실조와 발바닥에 찰과상에 있긴 한데 심각한 수준은 아니다.

이 말에 종혁은 안도의 한숨을 탁 내뱉었다.

“하아아. 감사합니다.”

“그런데 이 아이와는 무슨 관계인지…….”

“아, 갑자기 이 아이가 차 앞에 뛰어들어서요.”

“그렇습니까?”

“왜 그러시죠?”

왜인지 의심스럽다는 듯 쳐다보는 의사. 약간의 경멸마저 스며 있다가 사라진 눈에 종혁은 미간을 좁혔다.

“음. 아닙니다. 그럼 경찰에 신고는 했습니까?”

“예, 했습니다. 곧 올 겁니다.”

“알겠습니다. 그럼.”

멀어지는 의사를 보며 고개를 모로 기울이던 종혁은 아차 하며 응급실을 나섰다.

그러자 응급실 밖에서 담배를 태우다 달려드는 벤.

드롭은 다른 일행들과 함께 먼저 예약한 식당으로 향했다.

“어떻게 됐어?!”

“단순한 탈진이래요.”

“하아아. 다행이다. 대체 이게 뭔 일이래?”

“그러게요.”

가족끼리의 저녁 외식이 다이나믹해졌다.

“일단 벤은 가 보세요. 지금 가면 얼추 예약 시간이겠네요.”

"너는?"
"일단 재 보호자가 오는 걸 보고 가려고요."
그 말에 벤의 표정이 굳는다.
"확실히 의심스럽기는 하지."
종혁은 고개를 끄덕였다.
대체 뭐에 쫓겼기에 맨발로 도망을 친 걸까. 그것도 탈진이 일어날 때까지 말이다.
"그냥 들개 같은 것에 쫓겼다면 좋겠지만……."
어쩌면 보지 말아야 할 것을 봤거나 어떤 개새끼가 쫓은 것일 수 있었다. 그리고 의사의 반응도 마음에 걸렸다.
"어쩌면 가정폭력일 수도 있고요."
아이의 몸을 상세히 살핀 의사가 적개심을 보였다면 한 가지 가능성밖에 없다.
증거는 또 있다. 발목에 새겨진 작은 문신. 가족의 이름으로 보이는데, 어린아이에게 문신을 했다는 것 자체가 가정폭력의 증거다.
"아니면 아이가 졸랐을 수도 있어. 저 나이는 어디로 튈지 모르거든. 무슨 생각을 하는지도 몰라."
많아야 여섯 살 정도로 보이는 소녀. 정말 말을 안 들을 때다.
아이 아빠가 그렇게 말하니 신빙성이 생긴 종혁은 고개를 끄덕였다.
"일단 경찰과 보호자가 오면 뭐든 밝혀지겠죠. 아, 경찰 저기 오네요.”

“으음. 그냥 나도 여기 있을까?”

“헛소리 말고 얼른 가세요. 늙어서 아빠가 내게 해 준 게 뭐냐는 소리 듣고 싶어요?”

슬프게도 언제나 사건이 우선시될 수밖에 없는 형사라는 직업. 그건 FBI도 마찬가지다.

“끄응. 미안해, 최.”

“됐으니까 얼른 가라고.”

벤은 한 번 더 사과를 하고는 몸을 돌렸고, 종혁은 차에서 내리는 경찰에게 다가갔다.

“교통사고 신고 때문에 오셨습니까?”

“혹시?”

“예, 제가 신고했습니다.”

“……면허증부터 봅시다.”

종혁은 면허증 대신 FBI 신분증을 보여 주었다.

“엇?!”

놀랐던 경찰은 이내 낯빛을 굳혔다.

“일단 신분 조회부터 하겠습니다.”

의심스런 눈길로 종혁의 위아래를 훑는 경찰들.

종혁은 씁쓸히 웃으며 그러라고 했고, 경찰 한 명이 무전으로 신분 조회를 의뢰할 때 나머지 한 명은 종혁에게 가까이 다가섰다. 도주를 막기 위해서다.

‘진짜 이놈의 인종 차별은, 씨발.’

“크흠. 확인됐습니다. 보편적인 확인 절차니 기분 나빠

하지 않으셨으면 좋겠습니다. 그런데 뉴욕 지국의 요원께서 마이애미는 왜…….”

“휴가 왔습니다. 안으로 들어가시죠.”

종혁은 경찰들을 데리고 응급실 안으로 들어갔다.

“저 아이가 갑자기 차 앞으로 뛰어들더군요. 다행히 부딪치지는 않았지만…… 뭔가에 쫓기는 것 같더군요.”

“음. 일단 실종 신고가 들어왔는지 확인해 보겠습니다.”

들어오지 않았다면 실종 신고를 해야 됐다. 그래야 보호자와 연락이 빨리 닿을 테니 말이다.

그렇게 아이의 신체적 특징에 대해 보고를 하던 경찰이 아이의 발목을 보곤 살짝 말을 버벅거렸다.

종혁은 눈을 가늘게 떴다.

“무슨 일입니까?”

“아, 그게…… 후우, 어쩌면 밀입국자일 수도 있어서 말입니다.”

“예?!”

“보통 이런 어린 나이의 아이들이 목숨 걸고 바다를 건널 때 그 부모들이 아이의 몸에 가족의 이름을 새기거든요. 가족을 잊지 말라고.”

“아.”

아이를 본 종혁은 얼굴을 쓸어내렸다.

“아직 확실한 건 없습니다. 입양을 보내는 아이들도 가끔 이러니까요. 거기다 아이의 옷도 새것 같고.”

여기저기 찢기고 오물이 묻긴 했지만, 기본적으로 새 옷이다. 어쩌면 단순한 미아일 수 있었다.

"그렇다면 다행이겠지만……."

아니라면 뭐든 슬픈 이야기였다.

경찰들은 동감이라는 듯 씁쓸히 웃었다.

그 순간이었다.

갑자기 울리는 경찰의 핸드폰.

"예. 전화…… 아, 그렇습니까? 알겠습니다. 예."

종혁은 의아해하며 경찰을 봤고, 경찰은 활짝 웃었다.

"다행히 보호자를 찾은 것 같습니다."

"하아……."

종혁은 다행이라며 가슴을 쓸어내렸다.

"일단 보호자가 올 때까지 커피나 마실까요?"

"커피 좋죠."

그렇게 얼마의 시간이 흘렀을까.

응급실 안으로 배불뚝이 오십대 백인 남성이 들어온다. 곧바로 아이의 살핀 그는 고개를 끄덕였고, 핸드폰을 들었다.

"응. 그래. 찾았어. 네 아이 맞아. 그래. 내가 데려다 놓을게."

종혁과 경찰들은 미간을 좁히며 남성에게 다가섰다.

"당신이 FBI 요원?"

"아이의 보호자 되십니까?"

"아이의 보호자를 아는 사람입니다."

그러며 내미는 경찰 배지에 종혁은 깜짝 놀랐다.
“잠시 이야기 좀 하죠.”
종혁은 씁쓸한 그의 표정에 일단 따라나섰다.
“후우. 이번 일 모른 척해 주시죠.”
“예?”
“저 아이의 보호자가 떳떳하게 경찰 앞에 나설 수 없는 사람입니다. 범죄자는 아닌데…….”
“밀입국자군요.”
“안 그래도 오늘 이민국 단속에 걸렸다고 합니다. 다행히 무사히 도망은 쳤다고 하지만…….”
종혁은 탄식을 터트렸다.
이제야 아이가 맨발로 쫓긴 이유를 알 것 같다.
‘의사가 적개심을 보인 것도 그렇게 도주하면서 난 멍 같은 걸 자주 봤기 때문이겠지.’
“그런데 형사님이 그런 사람과는 어떻게?”
“저 같은 사람도 있어야죠.”
“아.”
종혁의 눈에 옅은 존경심이 피어오른다.
여차하면 옷을 벗을 수 있는 위험한 일, 가시밭길을 걷고 있었다.
“접수된 거나 저 경찰들은 제가 무마할 수 있습니다만…….”
“그렇게 하세요. 저도 모른 척하겠습니다.”
얼마나 삶이 힘들었으면 목숨을 걸고 바다를 건넜을까. 불법이지만 눈을 감을 수밖에 없다.

“감사합니다. 신의 축복이 당신과 함께하길 빌겠습니다.”

“형사님도 신의 축복이 함께하길 빌겠습니다. 이 돈은 아이의 부모에게 전달해 주시고요.”

“……감사합니다. 아, 그런데 마이애미에는 언제까지 계실 예정입니까?”

“한 이틀 정도 더?”

벤과 드롭이 뉴욕으로 떠나면 종혁도 잠시 어머니 고정숙을 보러 한국에 다녀올 생각이었다.

“왜 그러시죠?”

“이런 좋은 분에게 식사라도 대접하고 싶어서요.”

“하하. 괜찮습니다. 그리고 우린 서로 모르는 게 낫죠.”

혹시라도 이렇게 봐준 게 잘못되면 커리어에 흠집이 생긴다. 서로 모른 척하는 게 나았다.

“……알겠습니다. 즐거운 휴가가 되시길.”

이후 경찰들과 뭐라뭐라 말한 형사는 아직도 정신을 차리지 못한 아이를 업어 응급실을 빠져나갔고, 종혁은 그 모습을 보다 머리를 긁적였다.

“보통 저 나이쯤 되면 얼굴에 삶이 드러나는데 말이야.”

분명 심술과 욕심이 덕지덕지 붙어 있었는데, 아무래도 착각을 한 것 같다.

종혁은 한숨을 내쉬며 몸을 돌렸다.

다시 가족을 만난 아이가 행복하길 바라며.

* * *

다음 날 이른 아침, 마이애미의 한 선착장에 들른 종혁은 인부들에게 지시를 내리는 사십대 후반 중년인을 보며 눈을 가늘게 떴다.

'대니 트레호.'

디에고 가르시아가 검거될 때 함께 검거되어 8년 형을 받았다가 재작년 출소한 대니 트레호.

'넌 뭘 기억하고 있을까.'

종혁은 눈을 빛내며 그에게 다가갔다.

3장. 아메리카드림

아메리카드림

"학! 학!"

하얀 드레스를 입은 작은 키의 소녀가 어두운 골목을 내달린다.

신발은 어디로 갔는지 맨발로 달리는 소녀.

"도망쳐!"

찢어지던 언니의 외침이 귓속을 왕왕거린다.

"흑! 흐윽!"

왜인지 흐르는 눈물.

소녀는 달리고 또 달리며 오래전의 기억을 떠올렸다.

부우우웅!

자동차 소리가 나는 그곳은 생선 비린내가 심하게 나는 좁은 공간이었다.

정말 너무 싫어하는 생선.

엄마와 아빠가 보고 싶었다.
하지만 그럴 수 없었다.
울면서 손을 흔들던 엄마와 아빠.
또 울면서 손을 잡아끌며 배로 향했던 언니.
그렇게 도착한 낯모를 도시.
엄마와 아빠가 낙원일 거라고 말한 도시.
짜악!
"악!"
"언니! 우리 언니 때리지 마!"
"이건 또 뭐야."
퍼억!
"악!"
"레냐!"
"아, 아파. 언니…… 아파."
땅바닥을 구른 레냐가 배를 붙잡고 울자 17살 정도 되어 보이는 소녀가 도끼눈을 뜬다.
"왜 때리는 거예요! 할게요! 하면 되잖아요!"
"호오. 그래. 네가 네 입으로 분명 하겠다고 한 거다."
"할 테니까 제발 레냐를 병원에……!"
"병원은 무슨. 이거나 먹여."
데구루루 바닥을 구르는 아스피린통을 쥔 소녀가 레냐를 끌어안는다.
"자, 이거 먹자. 이거 먹으면 안 아파."
물과 함께 약을 넘기는 레냐는 생각했다.

뭘 한다고 한 걸까. 언니는 왜 우는 걸까.

왜 집을 떠날 때처럼 무서운 표정을 짓는 걸까.

그렇게 궁금해하던 레냐는 갑자기 밀려온 졸음에 잠들고 말았다.

그리고 그날 저녁, 나쁜 사람들이 찾아왔다.

"나와."

"언니, 어디 가?"

"……금방 다녀올 거니까 인형 가지고 놀고 있어, 레냐."

레냐는 가지 말라고 말하고 싶었다.

하지만 왠지 그럴 수 없었다.

언니의 얼굴이 너무 슬퍼 보여서 그럴 수 없었다.

끼이익, 쿵!

닫혀 버린 철문.

레냐는 언니가 쥐여 준 인형을 향해 인사를 했다.

"안녕, 소피아?"

소피아. 그 무섭고 아빠의 배 위에서 보다 더 출렁거리는 좁은 공간에서 함께 견뎌 준 친구. 소피아와 언니가 있어서 무섭지 않았다.

그렇게 소피아와 놀고 있으니 언니는 정말 빨리 돌아왔다.

새하얀 새옷을 예쁘게 입은 언니.

하지만…….

"흐윽!"

“어, 언니?”

“자, 잠깐만. 잠깐만 언니 좀 가만 놔줄래?”

무릎을 끌어안은 언니는 울었다. 계속, 계속 울었다.

그리고 다음 날부터 언니는 계속 바깥으로 나갔다가 돌아왔고, 매일 울었다.

그러던 어느 날, 나쁜 사람들이 언니처럼 새하얀 원피스를 선물로 줬다.

“햐. 이런 애새끼도 좋아하는 변태가 있네. 얼마라고 했지?”

“3만 달러. 완전 사는 데.”

“미쳤네.”

무슨 말을 하는 건지 레냐는 이해하지 못했다.

쾅!

“지, 지금 뭐하는 거예요!”

“언니!”

레냐는 옛날에 귀신 이야기를 들었을 때처럼 하얗게 질린 언니를 향해 손을 흔들었다.

“뭐긴 뭐야. 애를 입양해 주겠다는 사람이 있어서 그런 거지. 너도 좋지 않아? 이런 짐 덩어리 때문에 힘들었잖아?”

“헛소리하지 마! 내가 믿을 것 같아?! 진짜 입양이면 그 옷을 왜 입히는 건데!”

쩌억!

“아악!”

"안 믿으면? 안 믿으면?"

"언니, 때리지 마!"

퍼억!

"악! 아으……."

레냐는 배가 터질 것 같았지만 참았다. 그래야 덜 맞는 걸 이젠 아니까.

"차라리 죽여! 죽여!"

"그래, 오냐. 죽여 주마."

퍽! 퍽퍽!

레냐는 자신 대신 맞는 언니를 향해 손을 뻗었다.

"어, 언니!"

"야, 더 때리지 마. 흠집 나면 골치 아파져."

"아. 야, 이거나 발라."

데구루루.

바닥을 구르는 약통과 연고.

레냐는 그걸 들고 언니에게 다가갔다.

"언니, 약 먹어."

"……그래. 자, 우리 레냐도 먹자."

레냐는 언니의 품에 안겨 다시 잠이 들었다.

그렇게 얼마나 잤을까.

"……나. 레냐, 일어나."

"언니?"

"응. 언니야. 레냐, 지금부터 언니 말 잘 들어."

바깥에서 열지 않으면 열리지 않던 문이 왜 열려 있는

것인지 궁금했지만, 집을 떠나올 때보다 더 무서운 언니의 표정에 레냐는 그저 고개를 끄덕일 수밖에 없었다.

"지금부터 언니가 뛰라고 하면 저기로 뛰는 거야. 언니가 부를 때까지 쉬지 말고 계속 앞만 보고 뛰는 거야. 큰 도로가 나올 때까지. 그럴 수 있지?"

"왜?"

"다, 달리기 놀이. 옛날에 했던 달리기 놀이야. 그럴 수 있지?"

"달리기 놀이? 알았어!"

"좋아. 가자."

언니에게 손이 붙잡혀 철문을 빠져나온 레냐는 그동안 자신이 있던 곳이 집이 아니라 어떤 상자 같은 곳이었다는 것과 그 앞에 어떤 사람이 쓰러져 있는 모습을 보고는 고개를 갸웃거렸다.

저 아저씨는 왜 배에 케첩을 묻히고 있는 걸까.

"자, 이제부터 말도 하지 않는 거야."

"으응."

그렇게 언니랑 얼마나 걸었을까.

"거기 뭐야!"

"레냐, 뛰어! 도망쳐!"

언니의 찢어질 듯한 외침에 레냐는 약속한 대로 뛰었다.

"아악! 레냐, 뛰어-!"

언니의 외침이 들려도.

숨이 안 쉬어져도.

눈앞이 흐릿해져도 뛰고 또 뛰었다.

결코 뒤를 돌아보지 않았다.

'난 착한 레냐니까.'

그렇게 달리고 달리던 레냐는 드디어 자동차 소리가 들리자 순간 갑자기 몸에 힘이 빠지는 걸 느꼈다.

'언니가 말한 큰길인데.'

레냐는 갑자기 도로가 얼굴로 다가오자 눈을 감았다.

끼이익!

"……야! ……봐!"

레냐는 아빠 품처럼 크고 따뜻한 온기를 느끼며 까무룩 정신을 잃었다.

그리고…….

쿵!

"윽?!"

"하. 이 쪼끄만 한 것."

"아."

바닥에 떨어진 충격에 눈을 뜬 레냐는 다시 보인 나쁜 사람들과 그 뒤에 얼굴에 케찹을 엄청 묻힌 채 잠든 언니를 보곤 하얗게 질렸다.

* * *

끼룩! 끼룩!

먹을 것을 찾는 갈매기들이 우는 이른 아침.

제법 큰 배의 갑판에 선 히스패닉계 중년인 대니 트레호가 물이나 식재료를 배에 싣는 인부들을 향해 지시를 내린다.

"물은 1번 선창으로! 당근 같은 건 밖에 빼놓고! 사탕과 과자는 잡지들과 같이!"

배에 실리는 물자들을 체크하던 대니 트레호는 배에 다가서는 덩치 큰 동양인, 종혁을 발견하고 미간을 좁혔다.

"거기 비켜! 지금 일하는 거……."

그는 종혁이 보여 주는 FBI 신분증에 입을 다물었고, 종혁은 그런 그를 향해 미소를 지었다.

"트레호 씨, 이야기 좀 하시죠!"

"……잠깐 다녀올 테니까 네가 대신 체크하고 있어."

"아, 아버지."

"별거 아닐 테니까 걱정 말고."

딱딱하게 굳은 아들에게 서류를 넘긴 대니 트레호는 배에서 뛰어내렸다.

"이쪽으로 가시죠."

둘은 선착장을 빠져나와 근처의 음식점으로 향했다.

종혁이 소고기 타코를 크게 한 입 베어 물며 감탄을 토했다.

"으음. 이집 맛집이네. 응? 안 드십니까?"

"FBI가 무슨 일입니까? 전 이미 죗값을 치렀습니다."

"하하. 방금 전 아드님이셨죠? 이야, 아드님이 아버지를 쏙……."

"가족은 건드리지 마시죠."
"……죄송합니다. 그럴 의도는 아니었습니다."
출소해서도 정신을 못 차린 범죄자들과 다르게 가업을 잇고 열심히 살려고 노력하는 대니 트레호.
분위기를 풀어 보려 말을 던졌던 종혁은 정중히 사과를 했다.
그에 살짝 놀랐던 대니 트레호는 한숨을 내쉬었다.
"괜찮습니다."
그래도 살짝 풀린 그의 얼굴.
종혁은 그런 그에게 사진을 내밀었다.
"……?!"
"아시죠? 앤디 가르시아."
사진을 가만히 응시하던 대니 트레호는 이내 한 모금도 마시지 않았던 콜라를 입안으로 들이부었다.
텅!
거칠게 내려지는 컵.
"애써 잊었던 사람을 다시 떠올리게 될 줄 몰랐군요."
씁쓸히 웃는 그.
"뭐가 궁금하십니까?"
"전부요. 당신이 보고 듣고 겪은 전부."
그리고 이왕이면 앤디 가르시아가 만난 부장이라는 놈의 얼굴까지.
종혁의 눈이 차갑게 가라앉았다.

슥슥.
"이렇게요?"
FBI에서 지원해 준 몽타주 전문가가 선을 몇 개 그려 보여 주자 대니 트레호가 미간을 좁힌다.
"으음. 이것보다 입술이 조금 더 얇았던 것 같기도 하고……."
벌써 거의 10년 전 기억이기도 하거니와 동양인은 다 똑같아 보여서 헷갈린다.
"이렇게요?"
"예. 이 얼굴 같습니다."
"최."
몽타주를 받아 든 종혁은 한숨을 내쉬었다.
별다른 특징이 없는 평범한 외모. 여의도를 1시간만 걸어도 족히 20명은 볼 법한 외모다.
"별다른 특징은 없었습니까?"
"으음. 아, 배에 제법 총상 자국이 있었습니다."
"총상?"
"제 것과 똑같은 부위라서 기억합니다."
대니 트레호는 골반 살짝 위쪽에 난 총상을 보여 줬고, 종혁은 눈을 빛냈다.
좋은 단서다.
'군인 혹은 경찰 출신이군.'
어쩌면 민주화운동을 하다가 총을 맞은 걸 수도 있다.
범위가 확 좁혀졌다.

"그리고 앤디와 똑같은 문신이 있더군요. 아, 맞아. 그러고 보니 앤디가 약을 먹었습니다."

"약이요?"

"아마 진통제였을 겁니다. 등에 큰 화상 자국이 있었거든요."

'환상통?'

"처방을 받은 겁니까?"

종혁은 다급해졌다.

"예. 아마 그랬던 걸로 기억합니다. 자기 입으로 꽤 독한 걸 써야 해서 어쩔 수 없다고 그랬거든요."

"디에고 가르시아는 모르는 것 같던데요."

"앤디가 걱정시키면 안 된다고 말하지 말아 달라고 했습니다."

이것도 좋은 정보다.

정신적인 문제인 환상통. 아마 지금까지도 진통제를 복용하고 있을 확률이 높았다.

'진통제도 내성이 생기니까 아마 병원에서 처방을 받았을 거야.'

놈들이라면 그 진료 기록을 조작할 수 있는 곳으로 갔을 것 같지만, 그래도 점점 놈에 대한 윤곽이 드러나는 것 같았다.

"그 외에 생각나는 건 없습니까? 디에고 가르시아는 모르는."

"으음."

한참을 생각하던 대니 트레호는 종혁이 몇 개의 키워드를 던져도 고개를 저었다.

"죄송합니다. 더는 없는 것 같습니다. 앤디는 왜 우리 조직에 들어왔던 건지 의심스러울 정도로 절제된 삶을 살았거든요."

그래서 물어보니 대답이 참 멋졌다.

나라도 정신을 차려야 디에고 가르시아가 엇나가지 않는다.

당시엔 정말 멋지다고 생각했다.

"그게 다 사기였다는 걸 나중에 알게 됐지만 말이죠."

종혁은 씁쓸히 웃는 그를 보며 눈을 가늘게 떴다.

"앤디 가르시아에게 별 감정이 없나 보군요."

"보스, 아니 디에고 가르시아가 신의 대리자를 자처 할 때부터 패밀리를 나오고 싶었으니까요."

다만 보복이 무서워서 도망치지 못한 거다.

대니 트레호는 검거됐을 당시 차라리 잘됐다고 생각했었다. 디에고 가르시아가 평생 교도소에서 썩어야 한다는 소식을 들었을 땐 환호성을 질렀고.

"음. 그러셨군요."

이런 이유라면 이해가 된다.

그래도 혹시 모르기에, 분노가 솟구치는데 억지로 참거나 그때를 그리워하는 것을 수도 있기에 종혁은 대니 트레호의 표정 변화와 신체적 변화를 빤히 살피며 몇 가지 질문을 더 던졌고, 대니 트레호는 성실히 대답을 하며 자신이 봤던 놈들의 외모에 대해 기억나는 대로 말해 주었다.
“수고하셨습니다.”
“더 궁금한 점은 없습니까?”
“트레호 씨가 말하지 않은 게 없다면 아마도? 하하. 궁금한 게 생기면 다시 찾아오겠습니다.”
“예, 그러십시오. 그럼 전 일이 바빠서 이만.”
종혁은 다시 배로 향하는 대니 트레호를 빤히 응시했다.
‘왜 안도를 한 거지?’
처음엔 자신을 경계하다 앤디 가르시아에 대해 언급하자 작게 안도하며 과하게 리액션을 취한 대니 트레호.
아들의 반응도 좀 이상했다. 좀 과하게 경계했다.
“흐음. 물질하면서 술이라도 마시는 건가? 아니면 어획량을 속이는?”
갸웃한 종혁은 몽타주 전문가를 봤다.
“여기요.”
“오늘 수고하셨습니다. 이건 기름값이라도 하세요.”
“와우, 감사합니다. 그럼 가 보겠습니다.”
“예. 그럼 며칠 후에 또 뵙겠습니다.”
아직 만나야 할 사람이 더 있다.
페드로 인판테.
현재 자리를 비워 내일 모레나 볼 수 있었다.
종혁은 떠나는 전문가에게서 시선을 돌려 몽타주를 봤다.

……피식.

"새끼들. 아주 한 놈만 걸려."

다 걸려 주면 더 좋고 말이다.

"일단 이것도 나탈리아에게 보내서 반응을 보이는 놈이 있는지 알아보라고 해야겠네."

현재 러시아의 모처에 구금되어 있는 놈들. 종혁은 이 놈들을 아는 사람이 나와 주기를 바랐다.

'아, 김경후 씨에게도…….'

"음?"

긴장이 살짝 풀려서 그런지 갑자기 콧속을 훅 파고드는 선착장 특유의 비린내.

"아, 그러고 보니 걔 몸에서도 이런 비린내가 났었는데……."

묘하게 쇠 냄새도 났었다.

"흠, 집이 선창가 근처인가? 쯧. 가족이랑 잘 만났는지 모르겠네."

종혁은 부디 그러기를 바라며 몸을 돌렸다.

여긴 특이하게 컨테이너들이 많다고 생각하며 말이다.

* * *

이틀 후 아침, 종혁의 별장이 부산하다.

"그럼 휴가를 다 쓰고 온다고?"

"……아니요."

종혁의 기분이 급격히 낮아진다.

서프라이즈를 위해 그동안 말하지 않다가 슬그머니 떠보려고 전화를 했더니 친구분들과 여행을 간다는 어머니.

선물을 잔뜩 사 놨던 종혁으로선 마른하늘에 날벼락 같은 소리였다.

“아마 이틀 정도 더 있다가 복귀하지 않을까 싶네요.”

오늘 페드로 인판테를 만나고 나면 서핑이나 배워볼 생각이다.

마이애미까지 왔는데 서핑 한 번 안 해 보는 게 말이 되는가.

“알았어. 그럼 뉴욕에서 봐. 애들아, 최에게 인사해야지?”

“최, 또 봐!”

“다음엔 우리집 놀러와! 나 로봇 장난감 많아!”

“우리 집도! 공주 인형 많아, 최!”

“하하. 그래.”

아이들의 머리를 쓰다듬은 종혁은 벤과 드롭의 가족을 배웅했다.

“덕분에 정말 잘 놀았어, 최! 이제 이 끝장나는 아줌마들은 잊고 총각의 판타지를 즐기도록 해!”

“최! 살결은 우리 흑인이 최고야!”

“쿨럭!”

‘아, 진짜 이 아줌마들이!’

성에 대해 자유분방한 미국이라고 입도 아주 자유분방하다.

"하하. 예. 겪어 보고 감상문 써 드릴게요."

"와우! 그래 바로 그거…… 읍?! 으읍!"

"하하. 최, 그럼 갈게! 출발해 주세요!"

결국 아내들의 입을 틀어막은 남편들. 그들을 태운 택시는 멀어졌고, 종혁은 손을 흔들다 돌아섰다.

"끄으. 그럼 나도 준비해 볼까?"

―다음 소식입니다.

거실에서 들려오는 TV 소리.

아무래도 아까 애들이 만화를 보다가 그대로 켜 놓고 간 것 같다.

피식 웃은 종혁은 거실로 걸어가 리모컨을 찾았다.

―해안가로 떠밀려 온 여성의 시신은 현재 신원을…….

'시체?'

"아이고. 또 누가 바다에 빠져 죽었……."

본능적으로 시선이 돌아갔던 종혁은 입을 다물었다.

구급대원의 들것에 실려 이동되는 시신. 그 손목에 종혁의 시선이 고정됐다.

정확히는 손목에 새겨진 문신이다.

"……씨발?"

얼마 전 갑자기 차 앞에 뛰어들었던 소녀의 발목에 새겨진 것과 똑같은 이름.

종혁은 충격에 굳어 버렸다.

* * *

마이애미 데이드 경찰국, 통칭 MDPD(Miami-Dade Police Department).

한국으로 치면 마이애미의 군청 소재지라고 할 수 있는, 무려 서울의 10배에 달하는 면적을 자랑하는 마이애미 데이드 카운티(Miami-Dade County)의 치안을 담당하는 미국 남동부에서 가장 큰 경찰청.

그 앞에 선 종혁이 캘리 그레이스에게 전화를 건다.

마이애미가 아닌 다른 도시에서 시신이 발견되었을 뿐만 아니라, 신원이 확인되지 않는 탓에 밀입국자로 의심이 되어 시신이 임시로 이쪽에 인계되었기 때문이다.

"예, 보스."

-그쪽 FBI와 MDPD에 협조는 구해 놨어.

휴가를 떠나오기 전 반말을 한 이후로 계속 반말을 하게 된 캘리 그레이스.

-하지만 어디까지나 참관뿐이야.

"괜찮습니다. 저도 확인만 하려는 것뿐이니까요."

정말 차에 치일 뻔했다가 구한 소녀와 관계가 있는지, 없는지만 말이다.

-하지만 최의 예상대로라면?

"부탁드리겠습니다."

혹시나 지금 하고 있는 예상이 맞는다면 캘리 그레이스

의 협조가 필수적이다.

-……하아. 일단 시신부터 확인하고 연락해.

"하하. 갈 때 선물 사 갈게요, 보스."

-쿠바 샌드위치로.

멕시코인들보다 훨씬 숫자가 많은 쿠바인들.

마이애미를 비롯한 마이애미 데이드 카운티에 밀입국자가 생겼다 하면 10 중 7, 8은 이 쿠바인이라고 보면 된다.

멕시코인이 멕시코만의 바다를 넘기엔 멕시코만이 너무 넓기 때문이다.

그래서 대부분의 멕시코 밀입국자들은 시카고나 뉴멕시코, 애리조나, 캘리포니아 이 네 곳의 주로 향한다.

"세상에서 가장 맛있는 쿠바 샌드위치로 사 갈게요."

-확인하고 연락해.

통화를 종료한 종혁은 MDPD의 법의학수사국으로 향했다.

"FBI의 최종혁입니다."

엘리베이터에서 내려 방문객의 출입 기록을 남겨야 하는 카운터 같은 곳으로 향하니 앉아 있던 경찰이 고개를 끄덕인다.

"아, 그렇지 않아도 반장님께서 기다리고 계세요. 저쪽으로 가시면 됩니다."

"감사합니다."

출입기록을 작성한 종혁은 경찰의 말에 따라 안쪽으로

쭉 들어가 반장실의 문을 두드렸다.

"FBI의 최종혁입니다."

"아, 왔군요. 법의학수사국의 반장 마리오 케인입니다."

"그 드라마가 반장님을 모티브로 했나 보네요."

호리호리한 체격의 금발 중년 미남.

정말 드라마 'CSI: 마이애미' 속 케인 반장을 보는 것 같다. 농담 같은 칭찬에 옅은 미소를 짓는 것까지도 말이다.

"오늘 떠밀려 온 시신을 확인하고 싶다고요."

"제 생각이 맞다면 단서를 드릴 수 있을 것 같아서요."

"……이쪽으로 오시죠."

둘은 검시실로 향했다.

"아, 케인."

늙은 흑인 남성이 케인 반장을 반긴다.

종혁은 금속 테이블 위에 하얀 천을 덮고 누워 있는 어린 소녀를 향해 예의를 다해 고개를 숙인다.

이제 고작 18살이나 됐을까.

꾸그극!

대체 누구에게 얻어맞은 건지 만신창이가 된 소녀의 얼굴에 종혁의 주먹이 부서져라 쥐어진다.

"……어때?"

"일단 보호자가 나타나지 않아서 개복을 하진 못했지만, 겉으로 보이는 것만 말하자면 무자비하게 두들겨 맞았어. 체구가 큰 남성 혹은 남성들에게 주먹과 발로 맞은 것 같아."

확!

하얀 천을 걷으니 더 끔찍한 참상이 종혁의 눈을 파고든다.

여리여리한 체구의 몸에 가득한 피멍들.

눈앞이 아찔해진다.

"맞아…… 죽었다는 겁니까?"

흑인 남성은 케인을 봤고, 케인은 고개를 끄덕였다.

"사망에 이르게 한 건 여기 두개골의 상흔 같아요."

"둔기 같은 걸로 맞았군요."

검시관이 정수리 쪽에 난 상처를 누르니 그 주변의 살까지 뼈 갈리는 섬뜩한 소리와 함께 움푹 들어간다.

덩치가 크고 완력이 센 사람이 쇠파이프 같은 걸로 전력을 다해 내리쳤거나 그만큼 무거운 것이 머리를 강타했다는 뜻이다.

그렇지 않으면 뇌를 보호하기 위해 충격 흡수에 특화된 두개골이 이렇게까지 박살 날 수가 없다.

"맞아요. 이 타격이 단숨에 사망에 이르게 했을 거예요. 그리고……."

잠시 망설이던 검시관이 케인 반장을 보며 말을 이었다.

"죽기 직전 혹은 후에 강간을 당한 것 같아. 질에 상처가 있어."

까득!

악물리며 섬뜩한 소리를 내는 종혁의 이.

뜨거운 콧김을 뱉어 낸 종혁은 소녀의 왼쪽 손목으로 향했다.

"……하, 씨발."

검시실을 울리는 살벌한 욕설.

"찾는 게 맞습니까?"

"맞는 것…… 같네요."

똑같다. 차에 치일 뻔한 여자아이의 발목에 새겨진 이름과 이 소녀의 손목에 새겨진 이름이.

비전문가, 마치 부모가 직접 새긴 듯 삐뚤빼뚤한 필적도 굉장히 흡사하다.

그리고…….

Dario D, Lizy D, Elyna D, lenya D.

D. 성을 나타내는 이 특징이 똑같다.

"리즈, 엘리나, 레냐. 이 셋 중 하나가 이 소녀의 이름이겠군요."

진중한 표정으로 말하는 케인 반장. Dario는 누가 봐도 남자 이름이니 제외한다면 셋 중 하나가 분명할 터였다.

종혁은 품 안의 담배를 만지작거리며 입술을 달싹였다.

"아마 리즈와 엘리나 둘 중 하나일 겁니다."

차에 치일 뻔했던 여자아이가 이 소녀의 동생일 테니 막내는 아닐 터. 이름이 나열된 순서를 생각하면 합리적인 추리다.

케인 반장과 검시관의 눈이 종혁에게로 향한다. 그러나 머리에 열이 오른 종혁은 그게 느껴지지 않았다.

'설마 내가 호랑이 아가리에 그 아이를 집어넣은 건가?'

아닐 거다. 아니어야 했다.

이민국 단속에 도망을 쳤다고 하니 그때 불가피하게 헤어졌다가 인간 같지도 않은 개새끼들에게 이럼 끔찍한 꼴을 당했을 것이다.

종혁은 그렇게 믿고 싶었다.

하지만 코가 미친 듯 가려웠다.

"최?"

"아."

종혁은 이틀 전 있었던 일을 설명했고, 케인 반장을 눈을 빛냈다.

"그 경찰의 이름은요?"

'……하, 씨발.'

종혁은 얼굴을 쓸어내렸다.

"모릅니다."

이런 기초적인 실수를 할 줄이야. 경찰이라고 너무 믿었던 것 같다.

종혁은 자신의 부주의함에 이를 갈았다.

"하지만 배지 번호는 기억합니다. 마이애미 경찰청 소속이라는 것도."

마이애미의 치안만을 담당하는 마이애미 경찰청.

다행히 이건 기억한다.

“그거면 충분합니다. 번호가 어떻게 됩니까?”

종혁은 배지 번호를 말했고, 케인 반장은 핸드폰을 들었다.

“배지 번호 조회 좀 해 줘. 마이애미 경찰청 소속이고, 번호는…….”

–엘먼 풀러로 나옵니다, 반장님. 계급은 Detective로 나오고요.

“엘먼 풀러…….”

종혁은 케인 반장의 의미심장한 모습에 덜컥 불길해졌다.

“아는 사람입니까?”

“들어 본 이름 같군요. 기억은 잘 나지 않지만.”

관할 구역이 다르다지만, 여차하면 마이애미의 일도 개입을 하는 게 MDPD다. 경찰로선 썩 안 좋았던 일이었던 것 같다.

그 말에 종혁은 눈앞이 아득해졌다.

–아, 밀입국자를 보호하다가 징계를 받은 이력이 몇 번 있습니다.

“……그래서였군. 맞아. 이제 기억나.”

지옥과 천국을 오간다는 게 이런 걸까.

종혁은 작은 원망을 담아 케인을 노려봤다.

“알았어. 고마워.”

통화를 종료한 그는 마이애미 경찰청에 전화를 걸어 엘

면 풀러를 보내 달라고 협조를 요청했다.

—지금 사건 현장에 나갔으니 몇 시간 걸릴 겁니다.

"알겠습니다. 오후 5시 안까지만 보내 주십시오."

케인은 종혁을 봤다.

"어떡하겠습니까? 몇 시간 걸린다는군요."

"……잠시 볼일 좀 보고 오겠습니다."

페드로 인판테.

이 소녀도 중요하지만, 그를 만나는 것도 중요했다.

* * *

마이애미의 한 작은 건물 안.

페드로 에이전시라는 스포츠 에이전시의 회의실에 앉은 종혁이 회의실 내부를 둘러보며 눈을 가늘게 뜬다.

출소 후 스포츠 에이전시를 차린 페드로 인판테.

'좋은데?'

건물 크기만 작을 뿐, 건물 외부나 내부 인테리어에 꽤 공을 들인 티가 난다.

"역시 페드로 에이전시."

"음?"

종혁은 혀를 내두르는 몽타주 전문가를 보며 고개를 모로 기울였다.

"아, 최는 야구에 관심이 없으시나요?"

"아뇨, 좋아합니다."

회귀 전에는 스트레스를 풀기 위해 자주 야구장을 찾았을 만큼 좋아했다. 지금은 사건에 치이고, 돈을 버는 데 바쁘고, 결정적으로 놈들을 쫓는 데 바빠서 이전처럼 챙겨 보진 못하지만 말이다.

그래도 가끔 채널을 돌리다 야구 경기가 나오면 되도록 끝까지 시청하려고 노력한다.

“다만 스포츠 에이전시까지 관심이 없을 뿐이죠.”

“아, 그럼 모를 만도 하겠네요. 페드로 에이전시는 저희 말린스 팬들 사이에선 제법 유명한 에이전시거든요.”

“그렇습니까?”

마이애미 말린스. 마이애미를 연고로 둔 야구팀이다.

종혁은 눈을 빛냈다.

“그럼요! 더블 에이부터 말린스까지, 소속된 쿠바 산 선수들 가운데 무려 2퍼센트가 이 페드로 에이전시와 계약을 맺어서 대단히 유명하죠!”

‘아니, 그 정도면 몰라야 되는 건데…….’

메이저리그 팀인 마이애미 말린스만이라면 모르지만, 그 이하 리그의 선수까지 합해 2퍼센트면 그저 그런, 소규모 에이전시라고 할 수 있다.

‘역시 미국. 한 번 파면 끝까지 파는구나.’

“그중 최고는 엔리케 곤잘레스! 작년에 말린스에 데뷔하자마자 홈런을 무려 네 방이나 때린 최고의 포수죠!”

‘누구야, 그건?’

“그런 곤잘레스를 단돈 2만 달러에 데려온 게 바로 여기 페드로 에이전시거든요!"

"……2만 달러요?"

"돈이 급한 곤잘레스를 위해 2만 달러의 에이전시 계약금을 투척했죠! 그런 곤잘레스가 지금은 연봉 60만 달러의 선수! 이 러브 스토리는 정말 유명해요!"

'2만 달러? 겨우 에이전시 계약금으로? 돈이 어디서 난 거지?'

대니 트레호처럼 8년 형을 받고 겨우 2년 전에 출소한 페드로 인판테.

'전과자에게 돈을 빌려줄 은행이 있다고?'

그렇다면 답은 둘뿐이다.

페드로 인판테가 가르시아 패밀리 시절 돈을 꿍쳐 놨든지, 아니면 정말 능력이 있는 그에게 어떤 자선사업가가 투자를 했든지.

"하아."

종혁은 계속 안 좋게 생각하려는 자신의 머리를 툭툭 쳤다.

아무래도 아까 전 소녀의 일 때문에 신경이 예민해진 것 같았다.

통통! 벌컥!

문이 열리며 사십대 초반의 히스패닉계 남성이 들어온다.

"반갑습니다. 페드로 에이전시의 사장, 페드로 인판테입니다."

자리가 사람을 만든다는 듯 제법 중후한 멋을 뽐내는 페드로 인판테.

“며칠 전 연락드린 FBI의 최종혁입니다. 이쪽은 몽타주 전문가이고요.”

“스텐 리입니다. 스텐이라고 불러 주세요!”

“아, 예…… 죄송합니다. 곧바로 조사에 응하지 않은 건…….”

“쿠바로 출장을 가셨다고요. 사장이신데도 직접 출장을 가시나 봅니다.”

“선수를 제 눈으로 보지 않으면 직성이 풀리지 않는 성격이라…….”

“직원들에겐 피곤한 타입의 리더시네요.”

하지만 종혁 본인에겐 좋은 타입이다. 제 눈으로 본 것만 믿는다면 기본적으로 호기심이 많다는 뜻이니까.

“하하. 앉으시죠.”

종혁과 몽타주 전문가가 자리에 앉자 페드로 인판테가 운을 뗀다.

“대니에게 연락 받았습니다. 앤디에 대해 묻고 싶은 게 있으시다고요.”

“예, 그렇습니다.”

“케케묵은 이야기를 FBI가 왜…….”

“수사상 기밀 사항입니다. 부탁드리겠습니다.”

“음. 알겠습니다. 어디서부터 말해야 할까요…… 아, 일단 제가 앤디를 알게, 아니 가르시아 패밀리에 들어가게 된 건 가르시아 패밀리가 구역을 모두 먹어 치운 이후입니다."

멕시코와 쿠바 출신들이 어울려 살았던 작은 동네.

출신 나라가 다르니 참 많이 부딪쳤었다.

"전 당시 가르시아 패밀리와 적대하던 패밀리 소속이었죠."

대니 트레호는 다른 조직 소속이었다.

"그래서 디에고 가르시아가 당신들을 쓴 거군요."

앤디 가르시아와 관계가 없기 때문에.

"정확히 말하자면 앤디에게 유감이 많았기 때문입니다."

앤디 가르시아는 가르시아 패밀리의 브레인이었다.

"앤디가 디에고 가르시아에게 가장 먼저 쳐내자고 건의한 게 제가 있던 패밀리였습니다. 그다음이 대니의 패밀리였고요."

패밀리의 보스가 자택에서 강도살인을 당하고, 최고 간부 중 두 명이 불의의 사고로 다쳤다는 걸 대체 어떻게 안 건지 불시에 기습해 온 가르시아 패밀리 때문에 페드로가 소속된 패밀리는 와해되고 말았다.

그렇게 가르시아 패밀리에 흡수된 이후 앤디 가르시아가 자신들을 치자고 건의했다는 걸 알게 됐다.

당연히 감정은 좋을 수 없었고, 그때 디에고 가르시아가 접근해 왔다.

"그렇게 앤디를 감시하게 됐지만…… 나중엔 폭주하는

디에고 가르시아가 더 싫어지더군요."

이후 페드로 인판테가 말한 건 대니 트레호의 말과 거의 흡사했다.

"흠. 그렇습니까?"

종혁의 눈이 작은 실망으로 물들자 미간을 좁혔던 페드로 인판테는 갑자기 떠오르는 게 있어 손뼉을 쳤다.

"아, 그러고 보니 앤디가 만나던 그 사람이 가끔 은행에 들르더군요."

"은행이요?"

슬슬 마무리하려고 준비하던 종혁의 눈이 번쩍 떠졌다.

'맞아, 은행! 내가 왜 이걸 잊고 있었을까!'

당시엔 폰뱅킹도 활성화되지 않았을 때다. 그건 미국이라고 해도 다를 게 없었다.

"어떤 은행인지 기억합니까? 은행에 들른 날짜는요?"

은행에서 송금한 날짜만 알아도 용의자를 확 줄일 수 있다.

종혁은 초조히 그를 응시했다.

"매달 25일입니다. 제 생일이 4월 25일이라서 이건 정확하게 기억합니다."

불끈 종혁의 주먹이 꽉 쥐어졌다.

"그런데 은행은…… 음, 그때 수첩에 적어 두긴 했는데…… 이건 아무래도 창고를 뒤져 봐야 알 것 같군요."

"부탁드리겠습니다."

"하하, 아닙니다. 당연히 협조해 드려야죠. 그럼 더 하실 말씀 있으십니까?"

"예. 조금만 더 도와주십시오."

종혁은 이후 몇 가지 질문과 몽타주들을 보여 주며 보강할 곳이 있는지 물었고, 다행히 몽타주를 조금 더 상세히 그릴 수 있었다.

"수고하셨습니다."

"예. 수첩을 발견하면 연락드리겠습니다. 전 바빠서 이만."

종혁은 먼저 자리를 뜨는 페드로 인판테를 보며 눈을 가늘게 떴다.

"맥, 스포츠 에이전시 사장은 돈을 많이 버나요?"

"음. 아마도요? 왜 그러시죠?"

"아뇨."

'흠. 진짜 많이 버나 보네.'

페드로 인판테가 손목에 찬 시계는 분명 바쉐린 콘스탄틴이었다. 그것도 최소 1억이 넘는 한정판 모델. 생활 기스가 거의 나지 않은 걸 보면 최근에 구매한 게 분명했다.

거기다 슈트도 아르마니의 리미티드 에디션 라인, 아니 몸에 걸친 모든 게 한정판이었다. 손가락에 낀 반지까지 말이다.

'스포츠 에이전시나 하나 인수해 볼까?'

소소한 용돈벌이는 될 것 같았다.

“아, 수고했습니다. 이건 가실 때 차비에 보태세요.”
“휴우. 또 주신다니 감사히 받겠습니다. 그럼 가시죠!”
종혁은 고개를 끄덕이며 페드로 에이전시를 나섰다.
지이잉!
“예, 케인 반장님. 아, 지금 그 형사가 오고 있다고요? 알겠습니다. 지금 가겠습니다.”
종혁은 재빨리 MDPD로 향했다.

한편 페드로 에이전시의 사장실.
“응, 대니. 지금 갔어. 네 말대로 앤디에 대한 것만 묻더라고. 별 의심을 하진 않는 것 같고. 응. 물건? 잠깐만?”
재킷 안 주머니에서 수첩을 꺼낸 페드로 인판테는 고개를 끄덕였다.
“어, 18일이야. 12명. 접선 장소는 이번에도 같은 포인트. 그중 한 명은 내 소중한 선수니까 남자는 절대 건드리지 마. 그래. 늦지 말라고.”
시거를 내려놓은 페드로 인판테는 연기를 뿜으며 나른하게 웃었다.

* * *

갑작스런 MDPD의 호출에 얼굴을 구기며 법의학수사국으로 들어서던 엘먼 풀러 형사가 종혁을 발견하고 흠칫 놀란다.
“요원님께서 여긴 왜…….”
“저번에 데려가신 소녀 때문에 묻고 싶은 게 있어서 말입니다. 혹시 그 소녀에게 형제가 있습니까?”
“형제요?”
데루르르.
누가 봐도 당황한 얼굴.
종혁은 갑자기 흔들리기 시작한 그의 눈에 의아해했다.
“아, 예. 있습니다. 자매가 있습니다.”
“……그래요?”
‘혹시 정말로…….’
자신의 가설이 맞는 걸까. 이민국의 단속에 의해 헤어졌다가 나쁜 놈들에게 끔찍한 일을 당했다는 그런 가설이.
“혹시 그 소녀의 아버지를 만나 볼 수 있겠습니까? 확인해야 될 게 있습니다. 형사님과 그분의 사정은 알지만, 부탁드리겠습니다. 살인 사건 때문입니다.”
살인 사건이란 말에 다시 흔들린 엘먼 풀러의 눈이 곧 단호해진다.
“아니요. 미안한데 그건 어렵겠습니다.”
‘어렵다고? 살인 사건인데?’
다른 사건도 아닌 살인 사건을 외면한다? 그것도 베테랑 형사가?
종혁은 의아해하며 엘먼 풀러 형사를 응시했다.

그건 케인 반장도 마찬가지였다.

그들이 있는 회의실에 불쾌한 침묵이 내려앉았다.

종혁의 머릿속이 복잡해진다.

"음. 제가 설명을 잘못한 것 같은데……."

하지만 무슨 말을 해도 듣지 않겠다는 듯한 엘먼 풀러 형사의 단호한 표정.

종혁은 케인 반장을 봤고, 그는 고개를 끄덕였다.

"이쪽으로 오시죠."

케인 반장은 그들을 검시실로 데려갔다.

드르륵!

싸늘한 철제 서랍에서 나오는 소녀의 언니로 추정되는 여성.

머리끝까지 덮은 하얀 이불을 걷으니 처참해진 얼굴이 드러난다.

"음."

엘먼 풀러의 입에서 신음이 흘러나온다.

"저희가 살인 사건이라고 한 이유는 바로 이 여성 때문입니다. 그때 형사님께서 데려가신 소녀의 언니로 추정되는 이 여성 때문에."

종혁이 누군지 알지 않냐는 눈빛을 지으며 호소한다.

"무슨 사정인지는 모르겠지만, 최소한 부모로서 딸의 시신은 봐야 하지 않겠습니까."

딸이 맞는지 아닌지도 확인을 해야 하고, 딸이 맞다면 지금쯤 엄청 찾고 있을 거다.

"저희도 부검을 해야 되고요."

그래야 범인을 찾지 않겠는가.

"……."

가만히 침묵을 하던 엘먼 풀러는 한숨을 내뱉었다.

"알겠습니다. 연락을 하죠. 하지만 대신……."

"이민국에 절대 연락하지 않겠습니다."

케인 반장도 고개를 끄덕였다.

경찰로서 밀입국자를 잡아야 하는 건 맞지만, 그도 사람이다. 이런 일까지 경찰의 잣대를 들이밀 순 없었다.

"내일 다시 찾아오겠습니다."

찰칵!

엘먼 풀러는 여성의 사진을 찍은 후 돌아섰고, 종혁은 망자에게 고개를 숙여 예를 다한 후 조심스럽게 안으로 집어넣고는 그 뒤를 따랐다.

"부탁드리겠습니다."

"……알겠습니다."

엘먼 풀러가 엘리베이터를 타고 사라지자 종혁은 눈을 가늘게 떴다.

그런데 그건 케인 반장도 마찬가지였다.

"동요가 적군요."

"저 여성을 몇 번 못 본 것일 수도 있죠."

어쩌면 아예 한 번도 못 본 것일 수도 있다.

그런데 그건 그렇다 치더라도 엘먼 풀러의 행동은 이상했다.

"아무래도 자신이 맡은 어떤 중요한 사건의 중요 참고인인 것 같죠?"

종혁의 말에 케인 반장이 고개를 끄덕인다.

"어쩌면 정보원일 수도 있죠."

"아, 그럴 수도 있겠네요."

"반장님."

케인 반장의 부하 직원이 다가온다.

"신원 미상의 시신의 두부 상흔에서 발견된 반고체 물질에 대한 분석 결과가 나왔습니다."

케인 반장이 검사 결과를 받아 들자 종혁도 냉큼 그 옆에 섰다가 미간을 좁힌다.

"그리스?"

정비소에서 윤활유로 주로 쓰이는 그리스(grease).

"흠. 거기다 오염된 바닷물에 기름이라……."

"아무래도 해안가 근처의 선착장이나 정비소 인근에서 변을 당한 것 같군요."

"버려진 선착장이나 정비소, 폐차장, 공장 등일 수도 있습니다."

그리스를 쓰는 모든 장소를 염두에 두어야 했다.

케인 반장은 핸드폰을 들었다.

"사흘 전부터 조류가 어느 방향이었는지, 그사이 바다로 나간 배가 있는지 확인해 봐."

시신이 부패된 상태를 봤을 때 여성이 사망한 지 약 이틀에서 사흘 정도 된 걸로 추정된다.

바닷물에 부패되어 사망 시간을 정확히 추정하긴 어렵지만, 변을 당한 후 곧바로 바다에 버려졌을 확률이 높다.

"그리고 나흘 사이에 이민국이 누구와 어느 구역을 단속했는지도."

부검을 하지 못해 정확한 추정은 어렵지만 육안으로 확인했을 때 질벽에 난 상처는 대략 나흘 전으로 추정 된다.

이 역시도 바닷물에 부패되어 정확한 추정은 어렵지만, 물이 시신의 부패를 빠르게 하는 것을 비추어 보았을 때 길어도 나흘이 넘진 않았을 거다.

'후우. 이럴 줄 알았다면 그 꼬마가 깨어나는 걸 확인하고 보낼걸…….'

그랬다면 언제 단속이 있었는지 확인했을지도 몰랐다.

"가시죠, 최."

"그러시죠."

둘은 조류의 흐름을 쫓아 움직이기로 했다.

* * *

쿠당탕!

"악!"

커다란 박스 안에 내동댕이쳐진 레냐가 아파하다 의아해한다. 언니랑 살던 곳이 아닌 방.

“어, 언니는?”

얼굴과 몸에 케첩을 엄청 뿌렸던 언니가 벌써 며칠째 보이지 않는다.

‘너무 재밌어서 레냐를 잊은 걸까?’

“언니?”

레냐를 내동댕이친 사내가 안으로 비릿하게 웃으며 쪼그려 앉는다.

“네 언니는 너 버리고 멀리 갔어.”

쿠궁!

레냐의 얼굴이 하얗게 질린다.

“몰랐어? 언니한테 넌 짐덩어리였는데?”

“아, 아니에요! 아니야! 아니야-!”

몸이 아픈 것보다 가슴이 더 아프다.

“크흐흐. 아니긴…….”

“일주일 후에 나갈 상품에게 뭘 그렇게 장난치고 있어? 나와.”

“아, 그게 다음 주야?”

“어. 저 꼬마 년이 도망치는 바람에 어그러졌던 거래를 일주일 후 다시 하기로 했어.”

“그 FBI 때문인가? 알았어.”

사내는 어느새 닭똥 같은 눈물을 뚝뚝 흘리고 있는 레냐의 머리를 쓰다듬었다.

“내일 새아빠 만나면 행복해라. 아니, 여자로서 행복해질 수밖에 없나? 으하핫!”

끼이익! 쿵!

"……새아빠?"

무슨 말일까. 아빠랑 다른 아빠일까?

머리가 아팠다.

'언니…… 얼른 와, 언니.'

"레냐가 잘못했으니까…… 이젠 아프다고 안 할 테니까…… 아무거나 잘 먹을 테니까……. 흑! 흐윽!"

레냐는 인형친구 소피아를 꼭 끌어안으며 그 작은 몸을 애처롭게 들썩였다.

그렇게 얼마나 울었을까.

레냐가 울다 지쳐 잠든 공간에 누군가 들어온다.

끼이익!

문이 열리는 소리에 눈을 비비며 몸을 일으키는 레냐.

"언니?"

"헛! 너, 넌 뭐니?"

"언니야? 언니! 언니, 레냐가 잘못……?"

아니다.

눈을 번쩍 떴던 레냐는 이쪽을 동그랗게 뜬 눈으로 응시하는 여성들의 모습에 실망했다.

"레냐? 아, 그럼 설마……."

"레냐를 알아요? 우리 언니 알아요?!"

순간 얼굴이 처참하게 일그러지는 여성들.

"엘리나 언니 친구들이에요? 우리 언니 어디 갔는지 아세요? 언니가 정말 레냐 싫어해요? 그 나쁜 아저씨들이 레냐가 새아빠한테 간대요. 언니도 새아빠한테 갔어요?"

흠칫!

새아빠.

그녀들은 무언가에 홀린 듯 다가와 레냐를 꼭 끌어안았다.

"미안해. 정말 미안해……."

뭐가 미안한 걸까.

그런데 갑자기 가슴이 왜 이렇게 아픈 걸까.

왜인지 울고 싶어진 레냐는 다시 눈물을 흘렸다.

소리 내어 울면 맞으니까 눈물만 뚝뚝 흘렸다.

한참 동안 소리 없이 울던 레냐는 결국 지쳐 다시 잠이 들고 말았고, 이 컨테이너를 숙소로 쓰는 여성들은 그런 레냐의 머리를 쓸어내리며 안쓰러운 표정을 지었다.

"엘리 죽었다고 했지?"

"쉿. 들어."

"……."

침묵이 내려앉는 공간.

이 어린아이에게 언니의 죽음을 어떻게 설명해야 될까.

이 어린아이가 그걸 이해할 수나 있을까.

여성들의 표정이 우울하고 복잡해진다.

그 순간이었다.

벌컥!

문이 열리며 네 명의 사내가 들어온다.
"무, 무슨 일이에요?"
엘리나의 탈출 도모 이후 더 포악해진 사람들.
여성들의 몸이 절로 움츠린다.
"그 꼬마 깨워."
"무슨 일인데요!"
"확! 뭐 물어봐야 하니까 깨우라고!"
사내의 윽박에 반사적으로 레냐의 앞으로 가로막으며 보호하는 여성들.
"됐어. 화내지 마."
성을 내는 사내를 다독인 남성이 눈웃음을 짓는다.
"그냥 아빠 이름을 물어보려는 거니까 깨워 봐."
"아……."
그나마 자신들에게 잘해 주는 남성.
여성들은 슬그머니 레냐를 흔들었지만, 혼절하듯 잠든 레냐는 깨어날 생각을 안 했다.
"야, 됐어. 비켜."
"흑?!"
"처맞기 전에 비켜라."
성을 내던 사내의 주먹이 쥐어지자 여성들은 결국 비켜설 수밖에 없었다.
사내는 잠들어 있는 레냐의 곁으로 다가가 발목을 들췄다.
그러자 드러나는 이름이 새겨진 문신들.

“Dario D…… 그러면 다리오 도밍게즈겠네.”

딸인 엘리나 도밍게즈, 레냐 도밍게즈.

딸과 같은 성을 쓰는 게 아니라면 그녀들의 아버지 이름은 다리오 도밍게즈일 터였다.

눈웃음을 짓던 남성이 핸드폰을 든다.

“예. 이름 확인했습니다. 다리오, 다리오 도밍게즈입니다. 밀입국자들이 가족의 이름을 몸에 새기는 게 이렇게 도움이 되네요. 예, 알겠습니다.”

통화를 종료한 남성은 여성들을 바라보며 소름 끼치는 웃음을 지어 보였다.

“허튼짓하다가 걸리면 어떻게 되는지 알지? 그럼 잘 자라고, 아가씨들. 가자.”

그렇게 사내들이 나가며 문이 닫히자 여성들은 맥이 탁 풀리는 걸 느꼈다.

* * *

“후우.”

일단 조류의 흐름을 역으로 짚어 가며 폐업하거나 버려진 채 방치된 장소를 위주로 뒤져 본 종혁과 케인 반장은 마른세수를 했다.

“여기가 마지막이죠?”

그 어디에서도 찾아볼 수 없는 혈액들.

누군가 침입해 어지럽힌 흔적은 있어도 시신의 상태를

보고 유추할 수 있는 형태의 혈흔 패턴은 발견하지 못했다.

피가 묻은 몇 개의 흉기 같은 걸 발견해 법의학수사국에 넘기긴 했지만 말이다.

"아무래도 현재 영업을 하는 곳일 수 있겠군요. 아니면 바다로 끌고 갔든지."

뭐든 바다에서 버려졌다.

시신이 발견될 당시의 5시간 전부터 밀물이었던지라 먼 바다에서 버려진 게 아니라면 시신이 거기까지 떠밀려 올 일은 없었다. 썰물 끄트머리에 끌려 나가서 다시 밀물에 의해 밀려왔을 확률도 높지만 말이다.

현재 케인 반장의 팀원들이 그에 대한 시뮬레이션을 통해 시신이 버려졌을 거라 추정되는 포인트를 검사 중이었다.

아직 그에 대한 관련 빅데이터, '시신이나 유기물이 바다에 유기됐을 때 조류의 흐름에 의해 시신이 얼마나 이동하는지에 대한 빅데이터'가 미흡해 포인트를 추정 못할 확률이 96퍼센트지만 말이다.

그래도 이런 걸 시도한다는 것 자체가 대단했다.

'정말 한국으로 가져갈 것이 많다, 많아.'

"끄응."

이러면 상황이 복잡해진다.

지난 나흘 동안 바다로 나간 배 중 이 조류의 흐름 위에 있던 배 모두에 혈액 반응 검사를 해야 되기 때문이다.

그 배의 숫자만 약 300여 대. 그중엔 돈이 많은 부자들이 타는 요트들도 다수 있었다.

여기에 현재 영업 중인 공장이나 선착장, 정비소, 폐차장까지 뒤져야 한다? 몇 백 곳이나?

담당 검사가 영장을 발급해 줄지조차 불분명했다.

꼬륵!

"하하."

종혁은 배를 붙잡으며 어색하게 웃었고, 케인 반장은 피식 웃었다.

"일단 먹고 하죠. 근처에 제법 잘하는 타코 가게가 있습니다."

그 후에 이민국이 단속을 벌인 장소와 인물을 뒤져 볼 예정이다.

"오, 저도 타코 잘하는 곳 아는데."

대니 트레호의 배가 정박된 선착장 입구에 있던 타코 가게.

'아, 그런데 그 선착장이 이 근처 아니었나?'

종혁은 작게 의아해하며 케인 반장의 차에 올라 그가 잘 아는 타코 맛집으로 갔다.

그런데 그곳은 놀랍게도 대니 트레호와 함께 먹었던 그 타코 가게였다.

'대니 트레호는…… 없는 것 같네.'

아무래도 어업 일을 나간 것 같다.

종혁은 땀 때문인지 가려워진 코를 긁으며 아쉬워했다.

'있다면 물어봤을 텐데…….'

혹시라도 어업 일을 하던 중 바다에서 이상한 짓을 하는 배가 있었는지에 대해 말이다.

"그럼 언제까지 마이애미에 있을 예정입니까?"

"글쎄요. 아마 길어도 닷새 정도겠죠."

캘리 그레이스가 수사를 허락하긴 했지만, 그 이상 지체할 순 없을 거다. 뉴욕에도 사건은 넘쳐 나니까.

"왜 그러시죠?"

"……아닙니다."

종혁은 의뭉스런 시선을 거두는 케인 반장의 모습에 씁쓸히 웃었다.

'FBI가 이런 강간 살인에 매달리는 게 이상하다 생각하는 건가.'

경찰이 FBI를 어떻게 여기는지에 대해 알 수 있는 부분이다.

종혁은 이게 좀 씁쓸했다.

'FBI도 사람인데 말이야…….'

뜨거운 가슴이 있는 사람.

맡는 사건의 유형과 크기가 다를 뿐 FBI 역시도 피의자와 피해자에 분노할 줄 아는 존재였다.

종혁이 본 FBI는 그랬다.

지이잉!

"예. 마리오 케인…… 풀러 형사님. 알겠습니다. 뒷문을 비워 놓도록 하죠. 예, 한 시간 뒤에 뵙겠습니다. 가죠."

"그러죠."

종혁은 다급히 타코를 입안에 구겨 넣으며 일어섰다.

* * *

"흐아아! 흐아아아악!"

피부가 새까맣게 탄 중년인이 시신을 붙잡고 절규한다.

'엘리나', 딸의 이름을 울부짖는 아버지.

종혁의 입에서 뜨거운 한숨이 흘러나오고, 케인 반장과 그의 팀원들은 잠시 고개를 돌린다.

그 어떤 위로를 건네도 저 슬픔과 공감해 위로를 할 수 없단 것에 가슴이 쓰리고 아프다.

이럴 때마다 참 무력했다.

그렇게 얼마나 시간이 지났을까.

겨우 울음을 멈춘, 너무 지쳐 절규할 힘조차 없는 그를 달래 회의실로 데려온 종혁이 손수건을 건넨다.

"꼭 잡겠습니다."

흠칫!

종혁의 입에서 흘러나온 능숙한 에스파냐어에 회의실에 있던 사람들이 놀란다.

"……."

다시 흘러내리는 눈물.

소리 없이 흐느끼던 중년인이 다시 진정을 하며 입을 연다.

"저흰…… 쿠바 사람입니다."

모든 게 낙후된 쿠바.

사람이 살 곳이 못 되는 쿠바.

그래서 목숨을 걸고 딸들과 바다를 건넜다.

기회의 땅 미국, 아메리칸드림의 미국.

성공은 못해도 최소한 딸들이 배고프진 않을 거라 여겼다.

"그랬는데…… 그랬는데……."

케인 반장은 그가 다시 울려고 하자 얼른 입을 열었다.

"반장 마리오 케인입니다. 따님의 일에 심심한 위로를 표합니다. 그날의 일을 떠올리기 힘드시겠지만, 여쭤보고 싶은 게 있습니다."

"……다리오 도밍게즈입니다. 엘리나는 코코넛 그로브 쪽으로 도망을 쳤습니다."

사우스 웨스트 코코넛 그로브.

남쪽, 조류와 반대 방향이다.

이렇게 되면 놈들이 피해자를 바다로 끌고 나갔다는 가설에 더 무게가 실린다.

'도망치다 잠시 멈춘 여성의 정수리를 후려쳤겠지.'

아니면 그대로 납치해 차와 같은 이동 수단 안에서 폭행을 통해 무력화시켰을 수도 있다.

뭐든 사우스 웨스트 코코넛 그로브 쪽을 뒤져 봐야 했다. 운이 좋아 CCTV나 블랙박스에 찍혔을지도 모르니 말이다.

"그러셨군요. 혹시 그렇게 도주한 이유가 있습니까? 그쪽에 엘리나 양의 직장이나 아는 지인, 혹은 자주 가는 곳이 있다거나 말이죠."

다리오는 고개를 저었다.

"그땐 도망치는 것에 바빠서……. 그래도 약속 장소는 있었습니다."

만약 이민국의 단속에서 도망을 치다 흩어지게 된다면 모이기로 한 장소.

"샬로트 제인 메모리얼 파크입니다."

샬로트 제인 메모리얼 파크도 마이애미의 남서쪽에 위치한 묘지. 사우스 웨스트 코코넛 그로브에서 가까운 곳에 위치한 곳이다.

종혁과 케인 반장이 서로 눈을 마주친다.

피해자 엘리나는 사우스 웨스트 코코넛 그로브로 향하거나 그곳에서 이민국을 따돌렸다 판단하고 샬로트 제인 메모리얼 파크 쪽으로 가다가 변을 당했을 수 있다.

"그때 시각이 언제쯤인지 기억나십니까?"

"아마…… 저녁 10시쯤이었을 겁니다."

"힘든 기억이셨을 텐데 협조해 주셔서 감사합니다. 그리고…… 엘리나 양께서 괴한들에게 험한 일을 당하신 것 같습니다. 여성에겐 험한 일을……."

"아…… 크흑!"

"그래서 놈들을 잡으려면 부검을 해야 됩니다. 이 부분을 동의해 주시겠습니까?"

다리오가 당황하며 엘먼 풀러를 바라보자, 엘먼 풀러가 케인 반장을 향해 물었다.

"정액 같은 건 다 오염됐을 텐데 도움이 되겠습니까?"

"사소한 단서라도 찾아봐야죠."

그래야 범인을 잡을 수 있을 테니 말이다.

"흠."

제법 심각하게 고민한 엘먼 풀러는 다리오를 향해 고개를 끄덕였고, 그에 다리오도 마주 고개를 끄덕였다.

"부검이 모두 끝나면 저희가 장례 절차도 밟아 드리겠습니다. 이건 제 연락처니 그에 대해 궁금하신 점이 있다면 언제든 연락 주십시오."

"예…… 감사합니다."

힘이 빠진 다리오를 부축한 엘먼 풀러는 왔던 길인 뒷문 계단을 향해 떠났고, 그 모습을 바라보던 종혁은 코가 가려워 오자 눈빛을 서늘하게 가라앉혔다.

* * *

뒷문을 통해 MDPD 건물을 나선 엘먼 풀러는 팔을 빼려고 하는 다리오를 향해 싸늘히 일갈했다.

"계속 이대로."

"……예."

CCTV가 잔뜩 깔린 MDPD다. 최소한 차에 탈 때까진 이대로 가야 했다.

그때였다.

"잠시만요."

그들이 나온 뒷문으로 달려나온 종혁.
흠칫 놀란 엘먼 풀러가 슬쩍 앞으로 나선다.
"무슨 일이십니까?"
마치 다리오를 보호하는 듯 경계 어린 시선에 종혁은 걱정 말라며 웃어 주었다.
"전에 구한 소녀는 잘 있는지 궁금해서요."
차에 치일 뻔한 소녀, 레냐. PTSD가 왔을 수도 있기에 걱정이 됐다.
"그리고 이런 상황에서 할 말은 아니지만, 허락만 하신다면 후원을 하고 싶습니다."
언니를 잃은 아이와 딸을 잃은 아빠. 계속 눈에 밟혀 안 되겠다.
"후원이요?"
엘먼 풀러가 눈을 빛낸다.
"아이를 키운다는 게 보통 돈 들어가는 일이 아니잖습니까."
엘먼 풀러는 다리오를 힐끔 봤다가 이내 고개를 저었다.
"이 이상은 얽히지 않는 게 좋습니다, 요원님."
전에 말했듯 커리어를 위해선 이게 최선이라는 엘먼 풀러의 말에 종혁은 앓는 소리를 낼 수밖에 없었다.
"후우, 그럼 이거라도 받아주십시오. 엘리나 양의 장례와 그 소녀의, 이름이 레냐 맞죠?"
"네. 레냐 도밍게즈입니다."
"얼마 안 되는 거지만, 레냐의 미래에 보탬이 됐으면

싶습니다."

이를테면 새로 얻을 집이라든지 말이다. 이민국의 단속을 받았으니 원래 살던 곳에선 살지 못할 터.

"아, 그런데 원래 사시던 집이 어디십니까?"

생각해 보니 이걸 묻지 않았다. 그들이 어디서 도망을 쳤고, 어디서 어떻게 헤어졌는지도.

"그, 그게……."

다리오가 당황하자 다시 엘먼 풀러가 나섰다.

"그 부분은 제가 문자로 따로 보내 드리겠습니다. 거기에 다리오 씨만 있는 게 아니라서……."

"아, 그렇군요."

실수를 했다며 머리를 긁은 종혁은 돈을 내밀었고, 다리오는 엘먼 풀러의 눈치를 봤다. 그에 엘먼 풀러는 고개를 끄덕였다.

"가, 감사합니다."

"아닙니다. 그리고 부디 엘리나 양께서 좋은 곳으로 가셨길 빕니다. 아니, 그렇게 만들겠습니다."

종혁은 진심을 담아 허리를 숙였고, 다리오도 황급히 따라 허리를 숙였다.

이후 둘은 차를 타고 MDPD 주차장을 빠져나갔고, 종혁은 멀어지는 차를 보며 눈을 가늘게 떴다.

"뭘까. 대체 뭐가 걸리는 걸까."

분명 코가 무슨 냄새를 맡은 것 같은데, 그래서 뛰어왔는데 감이 잘 오지 않는다.

"과하게 엘먼 풀러 형사의 눈치를 보는 게 신경 쓰이긴 하는데……."

그동안 엘먼 풀러에게 이런저런 도움을 받았다면 딱히 이상할 게 없는 모습.

방금 전에도 그렇다. 엘먼 풀러는 마치 다리오의 변호사인 것처럼 곤란할 때마다 나서 주었고, 다리오는 그걸 당연하다는 듯 받아들였다.

엘먼 풀러가 제아무리 선인이라고 해도 다리오는 밀입국자라는 약자의 입장이기에 무슨 결정을 하든 그의 눈치를 볼 수밖에 없을 것이다. 혹여 자신의 결정이 엘먼 풀러의 기분을 상하게 할 수 있으니 말이다.

"그냥 이놈의 의심병 때문일까나…… 쯧."

혀를 찬 종혁은 몸을 돌렸다.

일단 엘먼 풀러와 이민국에서 연락이 오기 전까지 CCTV를 뒤져 엘리나를 찾아야 했다. 그래야 동선 추적이 쉬울 테니 말이다.

"그런데 이놈의 이민국은 대체 언제 자료를 줄는지……."

한국이나 미국이나 공무원들 일 처리 늦는 건 알아줘야 했다.

* * *

부우웅! 끼익!

노스웨스트 36번가의 한 골목.

햇빛조차 들지 않는 어두운 골목에 차를 세운 엘먼 풀러가 담배를 물며 손가락을 까딱인다.

"여기 있습니다, 형사님."

종혁에게 받은 돈을 내미는 다리오.

"케인 반장의 명함도."

명함까지 넘겨받은 엘먼 풀러는 돈의 반을 떼어 다리오에게 다시 돌려줬다.

"수고했어. 연기 좋았어."

특히 엘리나의 시신을 붙들고 절규하는 연기가 좋았다.

"하하, 아닙니다. 연기로 벌어먹고 사는데 이 정도는 해야죠. 그리고 형사님이 제게 해 주신 게 얼만데요."

거의 이십여 년 전, 소련이 건재하던 시절 할리우드의 대배우가 되고자 바다를 넘은 중년인. 아메리칸드림을 꿈꾸며 목숨을 걸었지만, 기껏 밟은 미국 땅은 그렇게 호락호락하지 않았다.

그때 도움을 준 게 바로 눈앞의 엘먼 풀러다.

일자리를 알아봐 주고, 영주권의 원활한 획득까지 도움을 준 엘먼 풀러.

덕분에 미국에 온 지 10년 뒤부터는 극단에서 연기를, 계속 간직했던 꿈을 다시 이어 갈 수 있게 됐다.

아직 아이는 없지만 가정도 꾸릴 수 있었다.

"그럼 언제든 또 찾아 주십시오!"

"로페즈, 주변 정리는 다 했겠지?"

"걱정 마십시오. 극단에도 다 말해 놨습니다."

"경고하는데, 당분간 마이애미에서 얼굴을 비추면 재미없을 줄 알아. 딴 데로 새지 말고 곧바로 너 좋아하는 할리우드로 가라고. 알았어?"

"예, 예! 알겠습니다."

"가봐."

고개를 숙인 다리오, 아니 로페즈는 빠르게 골목으로 사라졌고, 사이드미러로 그 모습을 지켜보던 엘먼 풀러는 핸드폰을 들었다.

"어, 나야. 여기 일은 모두 처리됐어."

-감사합니다, 형사님. 제가 곧 좋은 곳으로 모시겠습니다.

"좋은 곳은 됐고. 이번에 물건이 들어온다지?"

-……처녀로 두 명 빼놓겠습니다.

"끊어."

통화를 종료한 엘먼 풀러는 방금 전 일을 떠올리며 혀를 찼다.

"쓸데없이 예리한 것들."

특히 종혁이 이민국의 습격을 받은 위치를 물었을 땐 꽤 뜨끔했다.

고개를 저은 그는 다시 전화를 걸었다.

"어. 난데……."

-방금 전 문자로 보냈습니다.

지이잉! 지이잉!

갑자기 우는 핸드폰을 눈앞으로 가져온 엘먼 풀러는 지

난 일주일 동안 마이애미를 비롯한 마이애미 데이드 카운티에서 발생한 이민국 단속 리스트를 보고 눈을 빛냈다.

"이 중 하나를 골라서 보내면 되겠지."

'어차피 CCTV에 나오는 건 없을 테지만!'

그럼 수사는 지지부진하다 결국 미제로 종결될 터. 제일 거슬리는 종혁도 눈앞에서 치워질 거다.

아니, 이번 일의 가장 큰 소득은 MDPD의 핏불 테리어라고 불리는 마리오 케인에게 좋은 인상을 심어 줬다는 거다.

혹여 훗날 그가 어떤 사건을 수사하다 자신의 비리에 대해 안다고 해도 케인 반장은 망설이게 될 것이다.

이것만 해도 정말 큰 소득이었다.

"이런 게 쌓여서 나를 보호할 방패가 되어 주는 거지. 흐흐흐."

그는 다 타 버린 담배의 마지막 연기를 뿜으며 나른히 웃었다.

"그럼 돈을 벌러 가 보실까."

그에겐 무한한 돈줄인 밀입국자들.

정확히는 그들을 고용한 고용주들에게 수수료를 받으러 갈 시간이었다.

* * *

"……하아."

아침 해가 떠오르는 새벽.

모니터 앞에 있던 종혁이 고개를 푹 숙인다.

"없네……."

샬로트 제인 메모리얼 파크와 코코넛 그로브 공원 인근 CCTV를 비롯해 마이애미 남서부 전부를 뒤졌지만 엘리나의 흔적은 찾을 수가 없었다.

"씨발, 이놈의 미국은 CCTV가 왜 이렇게 없는 거야?"

뭔 놈의 공백 지대가 이리도 많은지, 여기가 정말 선진국인가 의심이 들 정도다.

"이상해."

제아무리 공백 지대가 많다고 해도 사람인 이상 CCTV를 모두 피해 간다는 건 말이 안 된다.

그것도 쫓기는 와중에 감시 카메라를 모두 비켜 간다?

CIA도 불가능한 일이다. 수십, 수백 번 도주로를 외우지 않았다면 말이다.

'하지만 그럴 일은 없고…….'

"역시 동양인은 성실하군요."

"아, 반장님."

케인 반장이 옅게 웃으며 차가운 커피를 내밀자 종혁은 단숨에 들이켰다.

"어우!"

차가운 당분과 카페인이 위장을 적시자 확 쫓아지는 피로.

"뭐 좀 나온 거 있습니까?"

"반장님은요?"

날을 샌 듯 눈가에 피로가 가득한 케인 반장.

반장쯤 되면 이런 조사는 하지 않아도 됨에도 날을 샜다는 건 무슨 의미겠는가. 그가 그만큼 열정적인 경찰라는 증거이면서도, 곧 있으면 떠날 종혁 자신을 위해 무리를 했다는 거다.

그런 마음을 들켜서인지 케인 반장은 헛기침을 했다.

"큼. 저도 없군요. 대원들도 마찬가지라고 합니다."

케인 반장은 아무도 없는 사무실들을 가리켰다가 이내 낯빛을 굳혔다. 그건 종혁도 마찬가지였다.

"이상하군요."

"예, 이상합니다."

마이애미는 엄연히 큰 도로가 거미줄처럼 뻗은 도시다. 엘리나가 이민국의 추적을 피해 골목으로만 이동했다고 해도 어떻게든 큰 도로로 나올 수밖에 없단 소리다.

'엘리나의 부친과 풀러 형사의 정보가 잘못된 게 아닌 이상 이건 불가능한 일인데…….'

어젯밤 단속 장소를 문자로 넣어 준 엘먼 풀러. 그러나 중년인과 밀입국자를 위해 애쓰는 엘먼 풀러를 의심 할 순 없었다.

"아, 설마?"

종혁의 탄성과 함께 케인 반장도 깨닫는 게 있었다. 둘은 누가 먼저랄 것 없이 서로를 봤다.

"대중교통!"

택시나 버스를 이용했다면 가능한 일이다.

"지금 당장 마이애미 샬로트 메모리얼 파크 인근을 지나는 모든 버스와 그날 그 근처에서 여자 승객을 내려 준 택시들을 알아봐!"

전화를 끊은 케인 반장은 종혁을 봤다.

"그럼 우린……."

"샬로트 제인 메모리얼 파크 주변을 뒤져 봐야죠."

만약 엘리나가 무사히 샬로트 제인 메모리얼 파크에 도착했고, 그 근처에서 가족이 오는지 살피다 참변을 당했다면?

분명 뭐가 있어도 있을 거다.

이런 종혁의 말에 케인 반장은 옅게 웃었다. 자신이 하고 싶은 말이었기 때문이다.

종혁은 남은 커피를 모두 들이켜며 몸을 일으켰다.

* * *

"아니…… 하아."

어느새 해가 저물어 버린 저녁.

문이 잠긴 샬로트 제인 메모리얼 파크 입구에 쪼그려 앉은 종혁이 한숨을 내쉰다.

허탕이다. 인근을 샅샅이 뒤지며 주변을 탐문했지만, 엘리나나 다리오를 목격한 사람이 없었다.

"수상한 사람이 있다는 신고도 없었답니다."

"……후우. 두 사람의 입장이 되어 보죠."

몸을 일으킨 종혁은 차가 지나는 인근을 둘러보며 눈빛을 가라앉혔다.

그들 가족이 흩어지면 만나기로 한 장소인 샬로트 제인 메모리얼 파크의 입구. 엘리나나 중년인은 혹여 흩어진 가족이 찾아올까 이곳 입구가 잘 보이는 어딘가에 숨어 지켜봤을 거다.

"일단은 저 골목……."

종혁은 순간 자신이 뭘 잊고 있다는 느낌이 들었지만 말을 이어 갔다.

"맞은편 보도를 서성였을 수도 있다는 가정은 제외."

"그랬다면 CCTV에 걸리지 않을 수 없겠죠."

케인 반장은 이 거리에 설치된 두 개의 CCTV를 가리켰다.

서로 설치된 교차로를 비추기에 약 30미터의 공백이 있다. 엘리나가 숨어 있었다면 저 공백 속에 숨어 있었을 거다.

"도밍게즈 씨는 중년 남성이니 가만히 앉아 있어도 별 의심을 받진 않았겠지만 엘리나 양은 아니죠."

"새하얀 프릴 원피스. 분명 튈 수밖에 없습니다."

게다가 엘리나는 십대 특유의 매력이 통통 튀는 미녀다. 더 눈에 뜨였을 거다.

"그래서 숨어 있다가 변을 당했겠죠. 차를 탄 괴한들에게."

종혁은 고개를 끄덕였다.

"도밍게즈 씨가 CCTV에 잡히지 않는 걸 보면 그도 대중교통을 이용했을 겁니다."

'자, 단서는 여기 다 있다. 생각해라, 생각해.'

대체 뭘 놓치고 있는 건지, 왜 이렇게 머릿속이 간지러운 건지 생각해야 된다.

종혁은 엘리나의 입장이 되어 보기로 하며 도로를 향해 발을 내디뎠다.

그 순간이었다.

"최!"

끼익! 빠아앙!

"미쳤어? 죽고 싶어?!"

"어?"

멍하니 쌍욕을 내뱉는 차를 보는 종혁.

라이트가 눈을 아프게 함에도 종혁의 시선은 돌려지지 않았다.

"최, 괜찮습니까?!"

"……반장님, 단서가 다 있는 게 아니었어요."

놓치고 있는 게 있었다.

"놓치고 있는 거요?"

"레나 도밍게즈. 제가 칠 뻔한 소녀요."

마이애미 북동쪽에 위치한 서프사이드의 934번 국도를 이용해 노스 베이 빌리지를 거쳐 마이애미로 진입한 종혁.

목적지는 마이애미의 중앙에 위치한 리틀 하바나.

쿠바인들이 많이 모여 사는 곳이기에 리틀 하바나라는 이름이 붙여진 곳이다.

"……반대 방향이군요."

이곳 샬로트 제인 메모리얼 파크에서도, 그리고 엘리나의 가족이 모여 살았다는 리틀 하바나 인근에서도 완전히 반대편이다.

"레냐는 탈진 상태였고, 발바닥에 찰과상이, 아니 피범벅이었습니다."

그 작은 아이가 그런 고통도 참으며 탈진이 될 때까지 달린 거다.

"아……!"

그제야 종혁이 하고자 하는 말을 알아차린 케인 반장이 고개를 끄덕이며 말을 이었다.

"맨발로, 그것도 탈진을 할 정도로 뛰었다는 건 레냐는 대중교통을 이용하지 않았다는 거군요."

"네. 레냐의 동선은 CCTV로 확인이 가능할 겁니다."

그 동선을 역추적하다 보면 결국 엘리나를 찾을 수 있을 터.

'그러면 내가 지금 뭘 놓치고 있는지도 확인할 수 있겠지.'

왠지 그런 느낌이 들었다.

엘리나를 해친 범인을 쫓는다는 생각에 너무 시야가 좁아져 있었다.

종혁이 스스로를 자책하던 그때, 재차 경적이 울렸다.

"이봐요! 사과는 안 합니까! 연극도 안 돼서 죽겠는데 별 거지 같은 게 계속 길을 막고 있어!"

거기다 원래 있던 극단원이 갑자기 관두면서 그가 했던 이 홍보 일을 대신, 그것도 인수인계조차 제대로 받지 못해 마이애미 전역을 떠돌아야 해서 짜증이 솟구친 사람들은 쌍욕을 토해 냈다.

"아, 죄송합니다. 많이 놀라셨……."

종혁은 따지는 사람들이 내린 차를, 갓길에 세워진 차의 차문들에 붙은 포스터를 보고 눈을 부릅떴다.

"반장님."

종혁이 가리킨 곳을 본 케인 반장도 눈을 크게 뜬다.

"……마이애미 데이드 폴리스의 마리오 케인 반장입니다. 저 사람이 혹시 극단원입니까? 맨 아래 오른쪽의 사람 말입니다."

"누, 누구요? 아켈로 로페즈 씨요? 예, 예! 그런데요? 아, 포스터에서 지우는 거 깜빡했네. 하하, 죄송합니다. 저희가 워낙 영세한 극단이라서."

극단. 종혁과 케인 반장의 얼굴이 굳는다.

"아켈로 로페즈? 다리오 도밍게즈가 아닙니까?"

"아뇨. 아켈로 로페즈인데요."

연기 경력이 무려 10년 차나 되는 아켈로 로페즈.

"그리고 이번에 할리우드에 도전하러 간다고 하셨는데……."

종혁은 얼굴을 쓸어내렸다.
"하, 씨발."
그래, 이거였다.
본능이 계속 보내왔던 경고가.
종혁은 자신의 손으로 레냐를, 그런 꼴이 되면서까지 누군가에게서 도망치던 그 어린아이를 호랑이 아가리에 집어넣은 것이었다.
빠아악!
종혁은 자신의 얼굴을 후려쳤다.
그의 두 눈에 살의가 넘실거리기 시작했다.

* * *

우글우글, 웅성웅성.
얇은 옷을 입은 사람들로 북적이는 할리우드.
"정말 여기 할리우드에서 반년간 지낼 수 있단 거지?"
수많은 연예인과 부자들이 사는 할리우드.
마이애미보다 더 살기 편하고 화려한 도시 LA.
기대와 흥분이 가득한 아내의 말에 중년인 다리오 도밍게즈, 아니 아켈로 로페즈가 가슴을 편다.
"어쩌면 아예 눌러살 수도 있지! 내가 근사한 집을 렌탈해 놨으니 기대해!"
"여보!"
품을 파고드는 아내를 꽉 끌어안은 아켈로는 넓게 펼쳐

진 할리우드를 보며 입술을 비틀었다.
'흐흐. 드디어 내가 왔다, 할리우드!'
어젯밤 너무 흥분이 되어 호텔에서 잠을 이루지 못하게 만든 할리우드.
경찰과 FBI까지 속인 연기력이다. 성공은 따 놓은 당상이었다.
그렇게 그는 결국 자신의 인생에 찾아온 제2의 아메리칸드림에 젖어 들어갔다.
그 순간이었다.
"어이, 아켈로 씨. 좋냐?"
"누구…… 흡?!"
종혁은 하얗게 질리는 그와 그 옆의 아내를 보며 입술을 주욱 찢었다.
"레냐는? 없네? 왜 없냐?"
"그, 그게……."
"이리 와, 씹새야."
종혁은 주먹을 들었다.

* * *

출근하는 사람들로 인해 북적이는 마이애미의 도로.
한 빌딩 앞에 세워진 푸드트럭에 사람들이 줄을 선다.
"쿠바 샌드위치 하프 하나요!"
"양파 빼고, 맞으시죠?"

5년 전, 목숨을 걸고 바다를 건너 아메리칸드림을 이뤄 낸 삼십대 쿠바 여성은 얼굴에 한가득 미소를 지으며 쿠바 샌드위치를 구워 낸다.

"여기 있습니다!"

"햄 샌드위치 세 개요!"

"네!"

아침밥을 먹지 않고 출근한 회사원들 때문에 정신없이 샌드위치를 구워 내는 여성은 9시가 되어서야 겨우 숨을 돌린다.

"휴우."

"쿠바 샌드위치 풀 사이즈로 하나."

"예! 쿠바 샌드위치 풀 사이즈…… 풀러 형사님."

낯빛이 딱딱하게 굳는 여성이 안쪽에 걸린 달력을 본다.

"벌써 한 달이……."

엘먼 풀러는 옅은 미소를 짓는다.

"배고파."

"……예, 잠시만요."

바게트처럼 길쭉한 쿠바 번을 버터를 듬뿍 바른 철판 위에서 무거운 판으로 눌러 구워 내고, 그 위에 고기와 각종 야채들을 넣어 다시 구운 쿠바 샌드위치.

여성은 샌드위치를 감싼 포장지 아래에 오늘 아침 수익 전부를 덧대어 넘겨주었다.

"오늘도 고마워. 이건 언제나처럼 쿠바인들을 위해 쓸게."

"……네. 조심히 가세요."

밀입국자였던 예전의 자신과 같은 처지인 쿠바 동포들. 그들을 위해 쓰는 돈이라고 하니 이젠 부담스러우니 오지 말아 달라는 말이 쏙 들어간다.

더욱이 엘먼 풀러는 동료 경찰들에게 존경받는 형사다. 엘먼 풀러를 거역했다간 어떤 불이익이 생길지 몰랐다.

그렇게 떠나는 엘먼 풀러를 응시하던 그녀는 앞치마를 벗고 트럭에서 내려 담배를 물었다.

"빌어먹을, 시민권."

올해 겨우 영주권을 획득한 그녀.

시민권을 얻기 위해선 앞으로 5년을 더 기다려야 한다.

즉, 그 안에 엘먼 풀러에게 밉보였다가는 다시 지옥 같은 쿠바로 쫓겨나는 수가 있었다.

"5년. 5년만 참자."

박탈될 수도 있는 영주권과 달리, 그런 걱정을 할 필요가 없는 시민권.

시민권만 얻는다면 엘먼 풀러가 무슨 수작을 부린다고 한들 두려울 게 없었다.

"글쎄요."

흠칫!

갑자기 옆에서 들리는 목소리에 고개를 돌린 여성은 깜짝 놀랐다. 그리고 그런 그녀를 비스듬히 선 채 응시하며 선글라스를 벗는 케인 반장.

"당신의 영주권 취득에 어떤 비리가 얽혀 있다면 지금 당장이라도 추방될 수 있습니다만?"

여성은 케인 반장 옆에 세워진 MDPD의 SUV를 보곤 파랗게 질렸다.

* * *

"예, 최. 어떻게 됐습니까."

—아켈로 로페즈 확보했습니다. 엘먼 풀러에게 대가성 제안을 받아 연기를 했다는 진술까지 모두요.

역시나 그는 레냐와 엘리나의 아버지가 아니었다.

"살아 있습니까?

—일단…… 살려는 뒀습니다. 그쪽은요?

"엘먼 풀러가 마이애미에 정착한 쿠바인들을 대상으로 상납을 받은 정황을 확보했습니다."

밀입국자들을 도우며 많은 징계를 받은 엘먼 풀러 형사. 그 천사 같은 가면 뒤엔 추악한 악마의 얼굴이 있었다.

"수고했습니다. 마이애미에서 보죠."

케인 반장은 팀원에게 전화를 걸었다.

"엘먼 풀러의 모든 금융 거래 내역을 뒤져 봐. 차명으로 된 것까지 모두. 그리고 레냐의 동선 추적 결과는 어떻게 됐어?"

케인 반장과 종혁의 눈빛이 싸늘하게 가라앉았다.

* * *

다리오 도밍게즈, 아니 아켈로 로페즈가 레냐의 아버지가 아닌 게 드러나면서 수사의 초점은 레냐 찾기에 맞춰졌다.

어떤 위협을 피해 도망친 레냐.

그리고 괴한들에게 강간과 폭행을 당해 숨진 레냐의 언니 엘리나.

누가 봐도 전후 사정이 그려진다.

레냐를 찾아야 엘리나를 숨지게 만든 범인을 찾는 거다.

"동선 나왔습니까?"

사무실로 뛰어 들어오는 종혁의 모습에 케인 반장이 차가운 커피를 내민다.

"방금 전 겨우 찾았다고 합니다."

케인 반장은 세 대의 커다란 모니터 앞에 서 있는 팀원을 불렀다.

"울프?"

이름처럼 짧은 머리에 날카로운 눈매를 지닌 이십대 후반의 남성이 키보드를 두드린다.

"하얀 원피스를 입은 6살 소녀. 솔직히 찾기 힘들었습니다."

너무 작은 키. 성인들에게 가려질 수밖에 없다.

"그러나 저희에겐 시작점이 있었죠."

타닥!

화면에 종혁의 차 앞으로 뛰어드는 레냐가 나타난다.

이후 종혁에게 들려 차에 태워진 레냐.

"처음엔 여기서부터 역추적을 하려고 했습니다."

화면이 역재생되기 시작한다.

종혁이 차에서 내리며 레냐를 도로에 눕히고, 알아서 일어나더니 뒷걸음질로 골목으로 들어가는 레냐.

이후 근방의 CCTV를 통해 레냐가 도망쳐 온 경로가 쭉 나타난다. 잠깐잠깐 CCTV에 비춰지지만 그걸로도 충분히 그려지는 동선.

CCTV에 나온 시간을 보면 레냐는 뒤도 돌아보지 않고 어두운 골목을 내달린 거다.

대체 뭐가 그렇게 무서운지 다리를 멈출 생각을 하지 않은 걸까.

종혁의 이가 악물어진다.

"하지만 그럴 필요가 없었죠."

다시 정방향 재생, 아니 빨리감기가 되는 영상.

차에 태워진 레냐가 근처 병원의 응급실로 향하고, 약간의 시간이 흘러 엘먼 풀러가 등장한다.

종혁처럼 레냐를 안아 들고 차로 향하는 엘먼 풀러.

그 순간 켜진 나머지 두 대의 모니터, 총 12개로 분할된 화면이 엘먼 풀러의 자동차를 쫓는다.

가끔 CCTV가 없어서 자동차가 잠깐씩 사라지긴 했지

만, 기어코 자동차를 추적하는 데 성공했다.

그렇게 도심지를 벗어나 외곽으로 향하는 자동차.

그곳은 역시나 엘먼 풀러가 말한 아켈로 로페즈의 집, 리틀 하바나 인근이 아니었다.

“그리고.”

타닥!

엘먼 풀러의 차가 멈추자마자 갑자기 정지된 화면.

“이 지점이 20일 전, 다른 곳에 있던 CCTV가 옮겨져 설치된 장소인데 11시 방향의 차량에서 내려서 있는 사람들이 보이십니까?”

‘어?’

어두운 밤, 가로등 불빛에 비춰지는 흐릿한 얼굴이지만 기시감이 든다.

분명 최근에 본 얼굴들이다.

‘내가 쟤들을 어디서 봤더라?’

이럴 때마다 화질 복원 프로그램이 간절해진다.

종혁이 아리송해할 때 울프는 다시 영상을 재생했다.

기절해 있는 레냐를 넘겨받고, 엘먼 풀러에게 정강이를 걷어차이는 네 명의 사내.

쿵쿵 뛰며 고개를 연신 숙이던 그들은 화를 내던 엘먼 풀러가 차를 타고 사라지자, 레냐를 뒷좌석에 집어 던지며 자신들이 타고 온 차를 출발시킨다.

그리고 그걸 쫓는 CCTV 영상들.

왜인지 익숙한 도로.

그럴수록 더 짙어져 가는 기시감.

그건 그들의 차가 어느 아치형 입구로 들어가는 순간 폭발했다.

"……어?"

종혁이 눈을 부릅뜨고, 케인 반장이 그런 종혁을 본다.

둘 다 아는 장소다.

울프는 어떠냐, 나 정말 고생하지 않았냐는 듯 케인 반장을 봤지만, 케인 반장은 그걸 신경 쓸 틈이 없었다.

"최, 여긴……."

타다닥!

"엘먼 풀러의 금융 거래 내역이 정리됐습니다, 반장님!"

"……일단 가죠."

종혁과 케인 반장은 달려온 팀원의 사무실로 향했고, 이내 곧 사무실 내의 모니터를 보곤 낯빛이 딱딱하게 굳었다.

물경 2백만 달러가 넘는 잔고.

"사촌 조카들 명의로 된 세 개의 차명 계좌인데, ATM CCTV를 확인 결과 실소유주가 엘먼 풀러임이 확인됐습니다."

엘먼 풀러는 일주일에 두 번, 한 번에 최소 몇천 달러씩 입금을 했다. 그리고 한 달에 한 번 2만 달러의 돈을 인출해 밀입국자들에게 나눠 주는 것도 확인됐다.

"여기까지 보면 엘먼 풀러는 자신이 도와준 밀입국자들에게서 돈을 받아 어려운 사람들을 돕는 것처럼 보입니다만…….”

팀원은 다음 화면으로 넘겼다.

“영주권을 얻지 못한 쿠바인들을 고용하는 업주들에게도 커미션을 받아 온 것 같습니다.”

브로커.

엘먼 풀러는 브로커였다.

“그중 가장 큰 액수를 입금하는 사람은 바로 여기 이 둘.”

쿠웅!

뒤통수를 때리는 거대한 충격에 종혁의 눈이 크게 떠진다.

“……하!”

종혁의 헛웃음에 사람들의 시선이 모인다.

그러나 그게 보이지 않는 종혁은 살기등등한 웃음만 흘릴 뿐이었다.

“미치겠네. 너희가 그 안에 왜 있냐?”

케인 반장은 종혁의 한국어에 미간을 좁혔다.

“아는 인물들입니까?”

“……알다마다요.”

방금 전 CCTV에서 본, 레냐를 넘겨받은 네 명이 누군지 이제 알겠다.

네 명 중 한 명은 바로 지금 화면에 나오는 두 사람 중 한 명의 아들이고, 나머지 세 명은 바로 그의 선원이었다.

빠드득!

"대니 트레호, 페드로 인판테……."

지금은 엄연히 미국 시민인 멕시코 출신의 밀입국자이자, 예전 가르시아 패밀리의 조직원들.

흠칫!

"설마 그 디에고 가르시아를 말하는 겁니까?"

"예. 과거에 디에고 가르시아의 조직원이었던 놈들입니다."

케인 반장과 사무실에 있는 팀원들의 낯빛이 딱딱하게 굳는다.

십여 년 전 마이애미를 발칵 뒤집었던 마약 교주 디에고 가르시아.

"두, 두 달에 한 번 그들이 입금하는 최소 금액이 각자 만오천 달러씩입니다."

둘이 합하면 무려 3만 달러. 많을 땐 둘이 합해 10만 달러가 입금된 적도 있다.

결코 작은 액수가 아니다.

거기다 2년 전 페드로 인판테에게 거금이 흘러간 증거도 있었다.

이후로도 엘먼 풀러는 꾸준히 페드로 인판테에게 투자를 한 정황이 확인됐다. 상납과는 별개로 말이다.

종혁의 헛웃음은 더욱 커졌다.

"이거네."

레냐가 공포에 질려 하염없이 떨 수밖에 없었던 이유.

페드로 인판테가 출소한 지 고작 2년 만에 그런 사치를 부릴 수 있었던 이유.

대니 트레호와 그의 아들이 FBI 신분증에 예민하게 반응한 이유.

각기 따로 놀던 조각들이 모두 합쳐져 거대한 그림을 그린다.

"좆같네, 진짜."

이렇게 농락을 당한 게 얼마 만인지 모르겠다.

케인 반장의 낯빛도 차갑게 굳는다.

"이거……."

"예. 아무래도 엘먼 풀러가 밀입국도 돕는 것 같습니다."

쿠웅!

이번엔 사무실에 있는 모든 사람이 거대한 충격을 받았다.

종혁은 그런 그들을 일견하며 모니터를 가리켰다.

너무 화가 난 나머지 감정이 사라진 그의 목소리.

"아마 밀입국자를 선별하는 건 쿠바로 자주 출장을 가는 페드로 인판테일 겁니다. 그리고……."

"해상에서 밀입국자를 넘겨받아 마이애미로 데려오는 건 대니 트레호일 테죠."

"그리고 밀입국자들을 데리고 있는 것도요."

레냐도 대니 트레호의 손에 있을 것이다.

'회개? 반성? 가업?'

종혁은 모니터를 보며 이를 갈았다.

"이 개새끼들……."

종혁의 눈에서 불똥이 튀었다.

그 순간이었다.

지이잉! 지이잉!

사람들의 시선이 종혁의 핸드폰으로 모인다.

“하, 이 새끼?”

발신자는 엘먼 풀러.

울고 싶은데 뺨을 때리고 있다.

눈웃음이 피어난 종혁은 케인 반장과 그의 팀원들을 향해 조용히 하라는 제스처를 취하고 전화를 스피커폰 모드로 받았다.

“예, 최종혁입니다.”

—엘먼 풀러 형사입니다. 미안한데 수사 진행 사항이 어떻게 되어 가고 있는지 알 수 있겠습니까? 범인의 윤곽은 드러났습니까?

미소가 더 짙어진 종혁이 끓는 화를 애써 누른다.

“후우. 엘리나 양의 이동 경로가 파악되질 않아 난항을 겪고 있습니다. 도밍게즈 씨에겐 죄송하다 전해 주십시오.”

—저런…….

안타깝다는 감정이 담긴 목소리. 하지만 그 감정이 거짓임을 아는 종혁은 분노가 울컥 튀어나오려 한다.

—후우. 어서 빨리 범인이 잡혔으면 좋겠군요. 요원님도 마이애미에 계속 계시진 못할 테니까요.

“예. 아무래도…….”

잠시 말을 멈춘 종혁이 핸드폰을 빤히 응시한다.

'이놈 봐라?'

왜 자신의 마이애미 체류 기간이 궁금한 걸까.

눈이 가늘어진 종혁이 말을 잇는다.

"아무래도 그렇죠. 곧 뉴욕으로 복귀해야 하니까요."

―음. 얼마나 계실 수 있습니까?

"글쎄요. 아마 길어도 사흘은 넘기지 못할 겁니다."

―아! 그러시군요…….

순간 놀랐다가 안타까워하는 엘먼 풀러.

'왜 놀라지? 왜? 아, 잠깐. 이거 혹시?'

뭔가를 직감한 종혁은 슬그머니 운을 뗐다.

"그마저도 온전히 엘리나 양만을 위해 쓸 순 없을 것 같습니다. 저도 목적이 있어서 마이애미에 온 거라서요."

―목적이라면?

"죄송합니다. 그 부분은 수사상 기밀입니다."

―……그렇군요. 알겠습니다. 부디 그 안에 꼭 범인을 잡으시길 바라겠습니다.

"그래야죠. 수고하세요."

통화를 종료한 종혁은 미간을 좁힌 케인 반장을 봤다.

"말이 뭔가 이상하군요."

"예. 이상할 겁니다. 제가 여기 마이애미에 와서 만난 게 저 두 놈이었거든요."

그 이유는 기밀이다. 하지만 케인 반장을 이해시키는 데는 그것만으로 충분했다.

"잠깐, 그 말은 설마……."

"예. 엘먼 풀러는, 아니 대니 트레호는 제가 다시 찾아오는 걸 반기지 않는 겁니다. 제가 곁에서 알짱거리면 꼭 해야 될 일을 할 수 없을 테니까!"

그건 즉, 거래하는 날이 가까워졌다는 거다.

종혁의 눈이 빛나기 시작했다.

* * *

기이이잉!

비행기가 뜨고 내리는 마이애미공항.

입구 앞에 선 종혁이 케인 반장, 엘먼 풀러 형사와 작별을 고한다.

"아쉽군요."

"죄송합니다. 웬만하면 놈들을 잡을 때까지 있으려고 했는데……."

맡기겠다는 시선에 케인 반장이 꼭 잡겠다는 듯 묵직하게 고개를 끄덕인다.

종혁은 고개를 돌려 엘먼 풀러를 바라봤다.

"나오지 않으셔도 됐는데요."

"그래도 인연이 있는 분이 떠난다는데 안 올 수가 없죠. 범인을 잡는 건 저도 도울 테니 아마 곧 잡을 수 있을 겁니다."

"부탁드리겠습니다. 그리고 레냐에게 안부 전해 주시

고요.”

“예, 그러겠습니다. 1시 비행기라고 하셨죠? 어서 들어가 보시죠. 늦겠습니다.”

“아, 그건 괜찮습니다. 퍼스트거든요.”

볼에 보딩 패스를 두드리는 종혁의 모습에 엘먼 풀러가 부럽다는 듯 혀를 내두른다.

“제가 다음에 다시 이 도시에 놀러 오면 찐하게 한잔하죠. 반장님도요.”

“그땐 제가 사겠습니다. 그럼 안녕히 가시길.”

“예, 그럼.”

종혁은 걸음을 억지로 뗀다는 듯 아쉬워하며 공항 안으로 향했고, 케인 반장은 엘먼 풀러를 봤다.

“전 샬로트 제인 메모리얼 파크로 가 볼 건데…….”

“죄송합니다. 사건이 있어서요.”

“알겠습니다. 수사 진행 사항이 궁금하시면 언제든 연락 주십시오. 그럼.”

고개를 까딱인 엘먼 풀러는 몸을 돌려 자신의 차로 향했다.

부르릉!

그로부터 약 10분 뒤, 엘먼 풀러의 차가 있던 자리로 종혁과 케인 반장이 다가온다.

서늘하게 가라앉은 눈으로 엘먼 풀러의 차가 있던 자리를 가만히 응시하는 둘.

“퍼스트인데 괜찮겠습니까?”

"괜찮습니다. 제가 돈이 좀 많거든요."

농담이라 생각했는지 케인 반장이 실소를 터트린다.

"그럼 가시죠."

"예."

둘은 몸을 돌려 주차장을 빠져나갔다.

* * *

"하!"

대니 트레호가 숨을 탁 내뱉자 엘먼 풀러가 수고했다며 어깨를 두드린다.

하루에도 몇 번씩 전화를 해 왔던 종혁.

지금 가려는데 시간 되냐, 물어볼 게 있다며 계속 그를 긴장시켰었다. 그 탓에 장사를 제대로 하지 못해 손해가 이만저만이 아니었다.

"이제 갔으니 마음 놔. 거래가 언제라고?"

"내일 자정입니다."

"순찰 경로야 잘 알 테지만, 해안경비대 친구들에게도 말해 놓을 테니 잘하고 와."

그렇게 말한 엘먼 풀러가 작은 선착장을 둘러봤다.

배가 약 열두 대 정도 정박할 수 있는 작은 선착장.

그러나 지금 정박되어 있는 배는 지금 한참 물자를 싣고 있는 대니 트레호 소유의 배 네 척뿐이다.

이번에 수리를 위해 모두 들어온 배들.

"여기에 들어오려는 놈은 없지?"

"있을 리가요."

눈을 살벌하게 빛낸 대니 트레호의 입술이 비틀린다.

교도소에 수감되면서 디에고 가르시아에게 벗어날 순 있었지만, 미래가 막막했던 대니 트레호.

어부 일을 하던 아버지가 사망하며 남긴 배 한 척과 선착장의 창고 겸 집이 있긴 했지만, 아버지처럼 어부 일을 할 생각은 없었기에 답답할 수밖에 없었다.

그래서 그는 어떻게 할까 고민하다 출소가 코앞에 다가왔을 때 밀입국 사업을 생각해 냈고, 동료였던 페드로 인판테를 끌어들였다.

하지만 그 짓도 돈과 인프라가 필요했다.

그때, 엘먼 풀러가 접근해 왔다.

그들의 계획을 엿들은 다른 죄수가 소개시켜 준 엘먼 풀러. 그에게 자금을 얻은 대니 트레호는 출소를 하자마자 이곳 선착장부터 장악했다.

다른 배의 선장을 교통사고로 중태에 빠트리거나 엘먼 풀러의 도움으로 교도소에 보내고, 창고를 불태우는 등 자신들을 제외한 다른 이들은 이용하지 못하게 만든 선착장.

피는 속일 수 없는지 자신이 교도소에 가 있는 동안 험하게 자란 아들도 적극 동참했다.

그렇게 원래 공용 소유였던 이곳의 실질적인 소유주가 바뀌게 됐다.

"무서워서라도 못 오죠. 그래서 마음 놓고 상품들을 여기다 보관을 하는 거고요."

대니 트레호가 컨테이너들을 가리키자 엘먼 풀러의 눈이 빛난다.

"어떻게, 오신 김에?"

"……됐어. 다 먹어 봤어. 그보다 그 레냐? 걔는 어떻게 되지?"

상황을 이렇게 꼬아 놓은 좆같은 꼬맹이.

"제가 다시 경계선 안으로 들어올 때쯤 제 아들이 넘길 겁니다."

"같이 가는 게 아니군."

"한 명은 남아 있어야 일이 어그러졌을 때 사업을 인계받을 수 있을 테니까요. 그리고…… 상품들도 처분할 수 있을 테고요."

섬뜩한 그 말에 엘먼 풀러는 무심히 고개를 끄덕인다.

"알았어. 그럼 수고해."

"예. 조심히 들어가십시오!"

손을 흔든 엘먼 풀러가 떠나자 대니 트레호는 침을 탁 뱉었다.

"빌어먹을 짭새 자식."

사업이 완전히 자리를 잡게 되자 엘먼 풀러가 거슬린다. 이렇게 영업장에 찾아와서 더.

그러나 대니 트레호 자신에 대한 비밀을 참 많이 알고 있는 엘먼 풀러.

'언젠가 정리해야 되는데…….'

"페드로와 이야기를 나눠 봐야겠군."

이제 그들의 수익이면 얼마든지 부패한 경찰을 한편으로 만들 수 있었다. 아니면 훌륭한 경찰을 부패한 경찰로 만들거나.

머릿속에서 계획을 짜 가던 대니 트레호는 쉬고 있는 선원들을 발견하곤 얼굴을 구겼다.

"뭣들 해! 얼른 물자 실어! 일 안 나갈 거야!"

황급히 물자를 싣기 시작한 그들은 몰랐다. 근처에서 자신들을 지켜보는 시선들이 있다는 것을 말이다.

선착장의 전경이 훤히 보이는 한 건물 안.

떠나는 엘먼 풀러를 차갑게 응시하다 시선을 돌린 케인 반장이 종혁을 보며 어이없어한다.

"왜요?"

"……아닙니다."

돈이 많다는 게 농담인 줄만 알았던 케인 반장. 그러나 그것은 농담이 아니라 사실이었다.

'고작 감시를 위해 건물을 통째로 사 버리다니.'

대니 트레호가 용의선상에 오르자마자 이 건물을 포함해 저 선착장이 잘 보이는 건물 세 채를 매입해 버린 종혁.

뿐만 아니라 각 건물에는 최신형 원거리 도청기기까지 설치됐다.

빈틈없이 놈들을 감시할 수 있게 된 것에 대한 기쁨보다 종혁의 재력에 놀란 감정이 앞섰다.

"거래가 내일이네요. 분명 GPS를 끌 텐데 괜찮겠습니까?"

"걱정 마십시오. 이곳 마이애미 해안경비대 친구들은 이런 일에 이골이 나 있으니!"

시시때때로 바다를 건너는 쿠바인과 멕시인들.

마이애미 해안경비대와 해상경찰들은 도망치는 배를 추적하고, 나포하는 일에 있어 베테랑들이었다.

GPS를 껐다고 해도 놈들이 해안선 안으로 들어오는 순간 해안경비대와 해상경찰들이 물샐틈없이 포위할 거다.

그런 케인 반장의 호언장담에 고개를 끄덕인 종혁은 선착장을 봤다.

"그럼 이제 남은 문제는 레냐인데……."

저 선착장 안으로 들어간 이후 행방이 묘연해진 레냐.

대니 트레호와 그의 부하들의 차량이 계속 왔다 갔다 했기에 레냐가 아직 저 안에 있을 거라고 장담할 수 없었다.

만약 확신을 했다면 진즉에 저 선착장을 덮쳤을 거다.

'부디 저 안에 있어야 할 텐데…….'

대니 트레호를 검거한다고 해도 그가 입을 다물어 버리면 레냐에게 신체적 피해가 발생할 수 있다.

거기다 묘하게 거슬리는 상품들이란 단어.

'만약 내 생각이 맞다면…….'

대니 트레호는 지옥의 악마들도 혀를 내두를 악인일 것이다.

종혁은 입술을 깨물었다.

* * *

묵직하고 큰 엔진 소리와 함께 출렁이는 어둡고 좁은 공간.

그 안에서 열두 명이 살을 맞댄 채 뜨겁고 지친 숨을 가쁘게 토해 낸다.

벌써 몇 시간째일까.

네 시간? 아니, 어쩌면 하루.

그들은 시간조차 알 수 없는 이곳에서 물 한 모금 마시지 못한 채, 눕지도 그렇다고 다리를 펴지도 못한 채 웅크리고 앉아 있느라 돌아 버릴 지경이었다.

거기다 코를 찌르는 기름 냄새와 생선 비린내, 오바이트 냄새.

정말 죽을 것처럼 힘들지만, 보다 나은 삶을 위해 그들은 지금의 이 고통을 기꺼이 감내하기로 했다.

그중엔 메이저리거를 꿈꾸는 18살 소년 호세 안드레아스도 있었다.

최고 시속 152km의 좌완 파이어볼러이자, 3번 타자인 호세 안드레아스.

해외 진출이 불가능한, 작디작은 쿠바 리그에서는 큰돈을 벌 수 없기에 프로선수의 꿈을 펼치려면 그에겐 망명밖에 답이 없었다.

"호세……."

"누나, 괜찮아?"

호세는 다급히 누나를 살핀다.

심장에 병이 있는 누나, 아델.

"으응. 난 괜찮아. 넌 괜찮아? 어깨는? 허리는?"

"괜찮아. 나야 몸이 무기잖아."

"……이제 무기라는 말은 그만. 이제부턴 쿠바에서처럼 주먹을 휘둘러선 안 돼."

"내가 뭐 아무나 팼나? 누나를 건드리니까 팼지?"

동네에서 소문난 미녀인 누나.

미국행을 택한 것은 나날이 악화되어 가는 누나의 심장병을 고치기 위해서이기도 했다.

"뭐, 뭐?"

"그러니까 적당히 예쁘라고."

빠악!

"악!"

"야, 누가 가족끼리 그런 느끼한 말 하래? 죽을래?"

"……머리 때리지 마라. 이젠 누나라고 안 봐준다."

"안 봐주면? 너 따위가 안 봐주면?"

"이게 진짜……."

"거 조용히 좀 합시다. 여기 둘만 있어?"

"죄, 죄송합니다."

몸을 움츠린 둘은 서로를 노려보며 말없이 쌍욕을 박았다.

그렇게 얼마의 시간이 흘렀을까.

갑자기 엔진 소리가 작아지며 배가 느려지는 게 느껴진다.

호세와 아델은 서로의 손을 꼭 잡았다.

그러다 결국 멈춘 배.

벌컥!

천장, 아니 이 선창을 막아 놨던 뚜껑이 열리자 사람들의 시선이 위로 향했다.

"뭐해! 얼른 올라와! 빨리! 빨리!"

"예, 예!"

가장 먼저 일어나 먼저 뚜껑 위로 몸을 날리는 호세.

위험이 없는지 주위를 빠르게 살핀 호세는 옆에 접안한 배에 눈을 빛내곤 얼른 누나를 향해 손을 뻗었다.

"올라와, 누나!"

"응!"

그렇게 하나둘씩 갑판 위로 올라오는 12명의 밀입국자.

"빨리 저 배로 옮겨 타! 빨리! 빨리 움직여, 이 굼뱅이들아!"

그들은 쫓기듯 옆에 접안한 배로 옮겨 탔다.

소총과 칼로 무장한 무서운 사람들로 가득한 배.

몸을 움츠린 그들은 무서운 사람들이 안내하는 선창 안으로 순순히 들어갈 수밖에 없었다.

그 순간이었다.

“너, 이름이 뭐지?”

“아, 아델이요.”

위아래로 훑는 대니 트레호의 눈길에 마치 개미가 전신을 기어 다니는 듯한 끔찍한 느낌이 든 아델.

“아델…… 흠, 알았어. 그럼 너희 중 누가 호세지?”

“저, 접니다.”

“……옆의 여자는?”

“제 누나요.”

“쯧. 알았어. 타.”

대니 트레호는 깊숙한 선창, 원래는 얼음으로 가득 차 있어야 하는 창고 안으로 들어가는 아델을 보며 입맛을 다셨다.

“재는 빼야겠군.”

호세는 동료이자 동업자 페드로가 밀입국 비용을 대신 줘 가며 데려온 상품이다. 그런 상품의 멘탈이 나가는 걸 페드로가 용납할 리 없었다.

‘풀러에겐 다른 여자를 줘야겠어.’

이번 거래를 마치면 여자 두 명을 시식하겠다고 말한 엘먼 풀러.

“다 실었습니다.”

고개를 끄덕인 대니 트레호는 여기까지 배를 끌고 온

쿠바 쪽 동업자를 향해 손을 크게 흔들어 주곤 부하에게 입을 열었다.

“출발해. 그리고 경계선 넘으면 로니에게 연락할 준비해 놓고.”

오늘 큰 거래이자 골칫덩이인 레냐를 소아성애자 변태 의뢰인에게 넘기는 아들, 로니 트레호.

“알았습니다.”

부두둥!

대니 트레호의 배가 크게 선회를 하더니 다시 왔던 길을 되돌아 마이애미로 향한다.

후아앙! 후아아앙!

동시에 얼굴을 매섭게 때리기 시작한 겨울의 찬바람.

윗 지방 사람들은 마이애미를 보고 천국이라 말하지만, 이곳에서 나고 자란 대니 트레호에겐 뼈가 시릴 만큼 추운 바람이었다.

“나도 이제 나이가 들었나…….”

“안으로 들어가시죠. 위험합니다.”

“……그러고 보니 달이 안 떴군.”

왜 이렇게 주변이 어둡나 했더니 달이 구름에 가려져 있다.

아주 낮게 깔려 있는 시꺼먼 구름.

라이트도 함부로 켤 수 없는 상황이다 보니 100미터 밖도 볼 수가 없다.

거기다 바람도 매섭기 그지없다.

아무래도 내일 파도가 크게 칠 것 같다.

"이놈의 빌어먹을 기상예보는 맞아떨어진 적이 없어. 자주 왔던 곳이라고 해도 어쩔지 모르니까 속도 줄여서 천천히 움직이라고 해."

"예."

치익!

-경계선을 넘었습니다, 선장님.

"알았어. 지금 간…… 응?"

기관실을 향해 발을 떼던 대니 트레호는 순간 귓가를 스치는 어떤 이질적인 소리에 미간을 좁혔다.

다다다다.

모터음 소리 같기도 하고, 짧고 두꺼운 천이 바람에 맹렬히 나부끼는 듯한 이상한 소리.

배에 천 같은 게 달렸나 둘러보던 대니 트레호는 이어 들리는 소리에 얼굴을 구겼다.

우우우웅!

"빌어먹을! 속도 높여-!"

-예?

"속도 높이라고! 짭새들 떴다! 전투 준비!"

-예, 예!

"빌어먹을!"

후다다닥! 철컥철컥!

배가 다급히 속도를 높이고, 갑판 위가 소란스러워지는 순간이었다.

삐유우우우! 퍼어엉!

하늘을 향해 쏘아지는 붉은 조명탄.

그리고 그와 동시에 어두운 바다 위에, 그것도 가까이서 켜지는 수십 개의 조명.

"……아."

대니 트레호는 소총을 들어 올리는 모습 그대로 굳어버렸다.

-아! 아! 너희들은 포위됐다. 무장을 해제하고 엎드려 대기하라! 다시 말한다! 너희들은 포위됐다. 무장을 해제하고 엎드려!

대니 트레호의 배보다 더 거대한 전함 네 척과 열 척의 쾌속 무장 경비정들. 그리고…….

투다다다다다다!

하늘 위에서 그를 비추는 무장헬기.

그 모든 절망들이 이쪽을 향해 포를 겨누고 있다.

모든 게 끝났음을 직감한 대니 트레호는 바닥에 엎드릴 수밖에 없었다.

그리고 잠시 후, 배에 올라타 대니 트레호의 머리를 밟는 케인 반장.

"크으윽!"

발밑에서 꿈틀거리는 벌레를 경멸 가득한 눈으로 응시하던 케인 반장은 무전기를 들었다.

"예, 최. 여긴 끝났습니다."

이제 남은 건 레냐를 구출하는 것뿐이었다.

케인 반장은 자신이, 그리고 종혁이 부디 늦지 않았기를 바랐다.

* * *

“미안해……. 레냐, 미안해.”

대체 뭐가 미안한 걸까.

따뜻한 물이 콸콸 나오는 샤워실, 언니의 친구들에게 씻겨지는 레냐는 이해할 수가 없다.

하지만 레냐는 그런 언니의 친구들을 작은 손으로 토닥였다.

“괜찮아. 괜찮아.”

자신이 울 때마다 언니 엘리나가 해 줬던 위로.

“흑! 레냐!”

“수, 숨 막혀…….”

“흐윽. 미안해. 정말 미안해!”

힘이 없어서 미안하다. 구해 줄 수 없어서 미안했다.

나중에 원망을 하겠지.

그래도 자신들은 그걸 탓할 수가 없었다.

결국 여성들은 울음을 터트렸고, 그에 레냐의 얼굴도 일그러진다.

언니를 떠올리니 언니가 보고 싶어졌기 때문이다.

‘에, 엘리나 언니…….’

레냐를 놔두고 먼 곳으로 갔다는 언니.

믿을 수가 없었다.

그래서 어서 언니를 데려오라고 많이 떼를 썼다.

그때마다 자신을 끌어안고 미안하다고만 한 언니의 친구들.

"이잉."

언니가 보고 싶다. 너무 보고 싶었다.

레냐의 눈에서 눈물이 뚝뚝 떨어졌다.

그때였다.

"하루 종일 씻길래!"

벌컥 문을 열고 외치는 무서운 아저씨.

"아, 아니에요! 다, 다 씻겼어요!"

"대충 씻겨! 어차피 가면 또 씻을 테니까!"

"……네."

쾅!

사내가 문을 닫자 여성들은 눈물을 더 많이 쏟아 내며 레냐의 몸을 씻기고 말렸다.

레냐로선 마치 공주님이 된 기분이었다.

그리고 다시 입혀진 새하얀 프릴 원피스.

언니도 입고, 언니의 친구들도 입는 공주님 드레스 같은 원피스.

레냐는 제자리에서 돌며 행복해했다.

"미안해. 꼭 견뎌야 해?"

"아프고 힘들어도 견뎌야 해, 레냐."

왜 아프고 힘들다고 하는 걸까.

견뎌야 된다는 게 무슨 말인 걸까.
이해를 할 수 없지만, 레냐는 언니에게 배운 대로 손을 흔들었다. 집을 나서면 인사를 하라고 가르쳐 준 엘리나 언니.
"다녀오겠습니다!"
"흐윽! 흐아아앙!"
"닥쳐! 짜지 마!"
"넌 뭐해! 얼른 차에 타!"
"네, 네!"
레냐는 얼른 뒷좌석에 올라탔고, 대니 트레호의 아들 로니 트레호가 그 옆에 앉았다.
레냐는 고약한 담배 냄새가 풍기는 로니 트레호에게서 슬그머니 멀어졌다.
"아버지는? 연락 왔어?"
"아직 안 왔습니다. 아무래도 바람이 강하게 불어서 그런 것 같은데…… 별일은 없겠죠?"
"한두 번 해 보는 것도 아니고. 걱정 마."
벌써 2년째 이 짓을 했지만, 단 한 번도 걸린 적이 없다. 이번에도 당연히 그렇게 될 거다.
"확실히 바람이 많이 불긴 하네. 어쩔 수 없지."
충분히 기다릴 만큼 기다렸다.
더 이상 지체했다가는 약속 시간에 늦는다.
"됐어. 출발해. 아버지에겐 나중에 말하면 돼."
"예."

키리릭, 부르릉!

시동이 걸린 차가 느릿하게 선착장을 빠져나가는 순간이었다.

부아아아앙! 끼이이이익!

갑자기 차 앞을 가로 막는 SUV들.

느닷없는 상황에 로니와 조직원이 굳을 때, 아치형 입구 양옆에서 튀어나온 SWAT 대원들이 그들을 향해 소총을 들이민다.

"내려! 차에서 내려!"

"움직이지 마!"

"……우와?"

레나는 눈을 동그랗게 떴다.

콰과광!

그녀의 등 뒤에서 커다란 폭발음이 들렸다.

* * *

불빛 하나 켜지지 않은 건물 안.

선착장을 내려다보는 종혁이 입술을 깨문다.

이 늦은 시간 어딜 가려는지 선착장 중앙에서 불빛을 켜고 있는 자동차 한 대와 그 옆에서 담배를 펴고 있는 대니 트레호의 아들, 로니 트레호.

치익!

-전 대원 정해진 포지션에 위치. 명령을.

MDPD와 FBI SWAT 대원들의 무전에 종혁이 다급히 입을 연다.

"아직입니다. 대기하세요."

아직이다.

해상으로 작전을 나간 팀의 연락이 오기 전까지는 기다려야만 했다. 섣불리 급습을 했다가는 그들이 밀입국자들을 인질로 삼을지도 몰랐다.

"하, 씨발. 왜 이렇게 연락이 안 오는 거야?"

분명 레냐를 넘긴다고 했다.

그게 어디든 누구든 자칫 레냐를 놓칠 수 있었다.

"제발 빨리…… 어?"

–타깃 포인트에서 움직임 감지!

같은 걸 본 종혁의 눈이 부릅떠진다.

'레냐!'

선착장 중앙에 세워진 차로 다가오는 레냐.

그때처럼 새하얀 프릴 원피스를 입은 레냐의 모습에 종혁의 심장이 철렁 내려앉는다.

그런데…….

"뭐야, 저건 또?"

–타깃 포인트에서 다수의 움직임 감지!

레냐처럼, 그리고 엘리나처럼 새하얀 프릴 원피스를 입은 여성들.

"……씨발?"

자매가 단순히 같은 옷을 입은 게 아니었다.

유니폼. 저건 어떤 목적으로 입는 유니폼이었다.

'그건 아마도…….'

뒤통수를 맞은 종혁의 목구멍으로 뜨거운 분노가 넘어간다.

-차에 시동이 걸렸습니다, 최.

잡아야 한다. 지금 저놈들을 놓치면 골치아픈 상황이 벌어진다.

종혁은 이를 악물었다.

'미안합니다, 케인 반장. 나도 어쩔 수 없습니다.'

종혁은 눈을 질끈 감으며 입을 열었다.

"전 대원……."

"최 요원! 해상팀에서 무전이 왔습니다!"

번쩍 떠지는 종혁의 눈.

다급히 받아 드는 무전기에서 케인 반장의 목소리가 흘러나온다.

-최, 여긴 끝났습니다. 기다렸습니까?

"……존나게요."

자신이 여자라면 사랑에 빠질 뻔한 타이밍이었다.

"수고하셨습니다. 그럼 저희도 시작하겠습니다."

-건투를 빕니다.

종혁은 자신의 무전기를 들었다.

그런 그의 입에서 살기 가득한 미소가 피어났다.

"전 대원, 작전 시작."

-라저! 무브, 무브, 무브!

아치형 입구 양옆에서 빠르게 움직이는 그림자들과 선착장 펜스를 넘는 그림자들.

"우리도 갑니다! 타격팀, 여성들 보호를 최우선으로 하고! 저격팀, 좆같으면 그냥 쏴 버려!"

무전기를 집어 던진 종혁은 권총을 빼 들며 몸을 돌렸다.

타다다당! 콰광!

선착장 안에서 울리는 총소리들.

그 섬뜩하고도 통쾌한 하모니를 들으며 로니 트레호가 탄 차에 도착한 종혁은 너무 당황해 차에서 내리지 못하는 로니 트레호의 모습에 주먹을 들었다.

콰아앙!

차창을 부수고 들어가 로니 트레호의 멱살을 잡는 종혁의 손.

"나와, 이 개새끼야."

"끄악?!"

콰자작! 쿠당탕!

로니 트레호를 바닥에 던져 버린 종혁은 SAWT 대원들이 제압하는 그를 일견하며 차 뒷문을 열었다.

그리고 눈을 동그랗게 뜨고 있는 레냐의 모습에 왈칵 눈물을 쏟을 뻔했다.

'감사합니다.'

하나님, 예수님, 부처님, 알라님 모든 신에 감사했다.

하지만 곧 슬퍼졌다.

'이 아이가 언니의 죽음을 받아들일 수 있을까.'
이럴 때마다 엿 같다.
종혁은 애써 웃으며 손을 내밀었다.
"엘리나가 보내서 왔어. 아저씨랑 갈까?"
"언니가요?!"
"그래. 언니가…… 보내서 왔어."
"엘리나 언니 어디 있는지 아세요? 레냐는 안 보고 싶대요?"
"멀리…… 좀 멀리 가서 레냐와 연락을 할 수가 없대. 그래서 미안하대. 그래서 아저씨를 보낸 거야. 자기 대신 레냐를 너를 돌봐 달라고."
"이잉……."
그럼 왜 말을 해 주지 않은 걸까.
레냐가 떼를 쓸 거라고 생각한 걸까.
서운함이 폭발해 버린 레냐는 울음을 터트리며 종혁의 품을 찾아들었다.
마치 아빠처럼 넓고 따뜻한 품.
왠지 낯설지 않은 품에 레냐는 더 크게 울어 버리고 말았다.
"미안해. 아저씨가 미안해. 구해 주지 못해서…… 그때 알아차려 주지 못해서…… 미안해."
뭐가 미안하다는 걸까.
구해 주지 못하고, 알아차려 주지 못했다는 게 무슨 말일까.

의문이 들었지만 레냐는 우느라 곧 잊어버렸다.
타다다다당!
"으아아앙!"
살벌하고 지독한 전쟁터에서 아이의 울음소리가 울려 퍼졌다.

제압은 순식간에 이뤄졌다.
"끄으."
"아아악!"
몸에 구멍 몇 개씩 달고 바닥을 기는 버러지들.
품에 얼굴을 묻은 채 씨근거리는 레냐가 보지 못하도록 레냐의 뒤통수를 살짝 누른 종혁이 선착장 안으로 들어간다.
'결국 애가 해결했네.'
이 아이가 해결한 거다.
하염없이 달리고 달리다 자신의 차 앞에 쓰러진 레냐 덕분에 이번 사건을 해결할 수 있었던 거다.
레냐가 아니었다면 인식조차 하지 못했을 이번 사건.
경찰로서 반성이 될 수밖에 없었다.
'후, 열심히 하자. 더 열심히.'
억울한 피해자를 한 명이라도 더 구할 수 있도록.
어쩌면 구했을지도 모를 엘리나.
종혁의 입에서 습한 한숨이 뱉어져 나왔다.
그때였다.

"대장님!"

"최!"

다급한 부름에 그쪽으로 빠르게 걸음을 옮긴 종혁은 이내 눈을 질끈 감고 말았다.

잔뜩 겁을 먹은 채 컨테이너 박스들에서 걸어 나오는 새하얀 프릴 원피스를 입은 14명의 여성과 마치 방처럼 침대 따위로 꾸며진 컨테이너들.

왜 이상하다 생각했는데 의심조차 안 했던 것일까.

뿌드득!

"레, 레냐!"

"언니들!"

종혁은 버둥거리는 레냐를 바닥에 내려놓았고, 레냐는 여성들에게 달려가 그녀들의 품에 안겼다.

그리고 그런 레냐를 꼭 끌어안으며 눈물을 흘리는 천사들.

쿠당탕!

"아악!"

종혁은 SAWT 대장에 의해 바닥을 뒹구는 로니 트레호의 모습에 고개를 모로 기울였다.

"이 새끼는 왜……."

"어우. 수송 차량이 있는 곳이 여기가 아니었나? 나 잠시 담배 좀 피우고 올 테니까 이놈 좀 부탁합니다."

"저도 같이 가시죠. 어우, 야간 작전이라서 뻐근하네."

기지개를 켠 SAWT 대장과 요원들은 몸을 돌려 멀어지기 시작했고, 종혁은 피식 웃었다.

'재밌는 양반이네.'

그래도 이렇게 판을 깔아 줬는데 가만히 있을 순 없었다.

'대니 트레호였으면 더 좋았겠지만…….'

"거기 아가씨들. 레냐 눈 가려요."

"……!"

뭔가를 깨닫곤 다급히 레냐의 눈을 가리며 눈을 빛내는 여성들.

종혁은 바닥을 구른 고통에 꿈틀거리는 로니 트레호에게 다가갔다. 그리고 그의 가랑이 사이에 서서 발을 들어 올렸다.

"죽진 않을 거야. 죽지는……."

"자, 잠깐!"

부웅! 콰직!

"……!"

종혁은 입을 떡 벌리는 그의 옆구리를 걷어찼다.

콰드득!

"끄아악!"

"아가리 닥아라. 혀 잘린다."

종혁의 발이 로니 트레호의 전신을 잘근잘근 짓밟기 시작했다.

* * *

"으흐음."

이른 아침, 속옷만 입은 채 부엌에 선 히스패닉계 여성이 토스트를 베이컨과 함께 노릇하게 구워 내며 콧노래를 부른다.

무엇이 그리도 즐거운지 모르겠지만 얼굴에 윤기가 도는 그녀의 등 뒤에서 털이 숭숭 난 두껍고 하얀 팔뚝이 뻗어 나와 건강한 배를 끌어안는다.

그와 동시에 그녀의 목덜미에 닿는 뜨거운 콧김.

“좋은 아침이야.”

“나 칼 들었어요.”

“오우.”

과장되게 물러선 엘먼 풀러가 여성의 엉덩이를 손바닥으로 때린다.

짜악!

“대충 차려. 아침을 해 주는 것만으로도 난 만족하니까.”

살이 뒤룩뒤룩 찐 것도 모자라 아침밥도 차려 주지 않았던 전 부인. 그런 주제에 사치는 어찌나 부리던지.

그런 전 부인에 비하면 얼마 전 결혼한 와이프는 천사가 따로 없었다.

‘어차피 내 돈을 노리고 접근한 것이지만…….’

쿠바 밀입국자였던 와이프. 그때 보호를 해 줄 때부터 그런 기미가 보였다.

그럼에도 그녀와 결혼을 한 건 그런 수작을 덮어 버릴 만큼 잘했기 때문이다. 잠자리부터 내조까지 모든 걸.

담배를 문 엘먼 풀러는 리모컨을 들어 TV를 켰다.

-다음 소식입니다. 어젯밤 밀입국 알선 사업을 하던 대니 트레호가…….

툭!

"……미친!"

식겁하며 몸을 일으킨 엘먼 풀러.

"여보, 식사 다 됐…… 응? 어디 가요?"

"조용히 해!"

안방으로 뛰어 들어간 엘먼 풀러는 다급히 핸드폰을 들었다.

터지지 말아야 할 게 터졌다.

'대체 왜! 어떻게!'

-여보세요?

"나야! 어떻게 된 일이야?"

해안경비대에 있는 끈.

분명 어젯밤 대니 트레호가 마이애미로 돌아오는 경로에서 경비정을 치워 주기로 한 사람이다.

-당신이 누군데 아침부터 전화질이야! 끊어!

"어?"

엘먼 풀러는 통화가 끊긴 핸드폰을 멍하니 쳐다봤다.

오싹!

뭐가 잘못되어도 크게 잘못됐다.

그는 다급히 옷을 차려입고 안방을 뛰쳐나갔다.

"나 오늘 안 들어올 수 있으니까 그렇게 알아!"

"여, 여보!"
경찰서로 가야 했다.
아니, MDPD로 가야 했다.
아니, FBI…….
'빌어먹을! 대체 어디로 가야 하는 거야!'
어디로 가야, 누구를 움직여야 대니 트레호의 입을 막을 수 있을까.
"일단 변호사부터 붙여……."
현관문을 거칠게 닫던 엘먼 풀러는 집 앞에 서 있는 MDPD SUV에, 아니 그 앞에 서 있는 종혁의 모습에 그대로 굳어 버렸다.
"너, 너는?"
종혁은 대경실색하는 그를 향해 환한 미소를 지어 주었다.
"네가 올래, 내가 갈까?"
"Fuck!"
엘먼 풀러가 다급히 품 안으로 손을 가져가는 순간이었다.
타아앙!
"아아악……!"
어깨에서 피를 뿌리며 바닥을 뒹구는 엘먼 풀러.
그에게 성큼성큼 다가간 종혁은 엘먼 풀러의 구멍 난 어깨를 총구로 내리눌렀다.
"캬아아악!"

"이것도 못 참는 씹새끼가 별짓을 다 했다, 그치?"

고작 이따위밖에 안 되는 놈에게 대체 몇 명이나 유린을 당한 걸까.

지난 2년간 아메리칸드림을 꿈꾸며 바다를 건넌 사람들.

그리고 펴 보지도 못한 채 저버린 엘리나 도밍게즈.

그들을 생각하니 뒷목이 뻣뻣해진다.

"넌 뒤졌어, 새꺄."

섬뜩!

'무, 무슨 사람의 눈이?!'

순간 사타구니에 힘이 풀린 엘먼 풀러는 슬그머니 시선을 피했고, 종혁은 더 반항하지 않는 그의 모습에 혀를 차며 핸드폰을 들었다.

"엘먼 풀러 검거했습니다, 반장님."

ㅡ예, 저희도 방금 막 페드로 인판테를 검거했습니다.

ㅡ놔! 빌어먹을 놔ㅡ!

통화를 종료한 종혁은 물러섰고, 케인 반장의 팀원들이 달려들어 엘먼 풀러의 손목에 수갑을 채웠다.

"엘먼 풀러, 당신을……."

귓가를 울리는 미란다의 법칙.

종혁은 어젯밤 그렇게 꾸물꾸물했음에도 맑은 하늘을 보며 한숨을 내쉬었다.

"우라지게 맑네."

저 맑은 하늘이 엘리나가 살았다면 지었을 미소 같아서

가슴이 답답했다.
"씨발."

* * *

또다시 찾은 마이애미공항 앞.
종혁과 케인 반장이 악수를 나눈다.
"잘 놀다 갑니다."
"……마이애미가 마음에 드셨는지 모르겠군요."
"마음에 드는 도시였어요."
불쌍한 이들을 위해 진심을 다하는 경찰이 있었기에 마음에 들었다.
그런 종혁의 말에 케인 반장이 옅게 웃는다.
"그럼 이제 FBI로 돌아가는 겁니까?"
"아뇨. 일단은 쿠바에 가 보려고요."
"쿠바……."
종혁이 왜 쿠바에 가는지 눈치를 챈 케인 반장의 눈빛이 흔들린다.
종혁은 케인 반장의 옆에서 쿠바란 말에 귀를 쫑긋 세우는 레냐의 머리를 쓰다듬었다.
"찾아야죠."
레냐의 부모를 찾아야 했다.
지금쯤 큰딸이 죽었다는 것조차 모른 채 매일 밤 미국에 있을 딸들의 행복을 기도할 레냐와 엘리나의 부모, 다리오 도밍게즈와 리즈 도밍게즈를.

CIA 친구들의 도움을 받으면 금방 찾을 수 있을 거다.

검거된 대니 트레호가 토설한 쿠바 내 조직, 아니 페드로 인판테가 현지에서 고용한 밀입국 알선업자들을 만나게만 해 준다면 말이다.

"그러니 그때까지……."

엘리나의 시신을 보존했으면 싶었다. 멀리 가 버린 딸, 얼굴도 못 보면 얼마나 한이 되겠는가.

케인 반장의 눈빛이 무거워진다.

"걱정 마십시오."

"부탁드리겠습니다. 그럼 다음에 또 뵙죠."

"예, 다음에."

"그럼 잘 있어라, 꼬마야. 이 아저씨는 간다. 무슨 일 있으면 바로 연락하고. 아저씨한테 전화하려면 어떻게 하라고 했지?"

"핸드폰을 켜고, 1번을 꾹 누른다!"

"그렇지!"

레냐의 머리를 쓰다듬은 종혁은 쉬이 떨어지지 않는 발을 억지로 떼며 몸을 돌렸다.

그 순간이었다.

—뚜뚜루 뚜뚜뚜 키싱 유 베이베!

"오, 헨리 씨. 안 그래도 전화하려고 했는데!"

CIA 동아시아 담당 헨리 스미스.

—후후. 벌써 돌아가시는 겁니까?

"휴가도 거의 끝났으니 이제 돌아……."
–제 선물도 안 받고요?
"예? 그게 무슨……."
"어? 엄마! 아빠–!"
"레, 레냐–!"
종혁은 공항 게이트에서 뛰어나오는 중년 부부를 보고 입을 떡 벌렸다.
아무래도 휴가가 약간 더 길어질 것 같았다.

＊ ＊ ＊

"아니야! 여보! 엘리나 좀 깨워 봐! 그냥 잠든 거잖아–!"
"아으어어! 어어어억!"
사람의 입에서 나오는 소리가 아니다.
자식을 잃은 부모가 쏟아 내는 절규는 한과 슬픔, 후회로 점철된 괴성이었다.
살려 주세요. 제가 다 잘못했으니까 내 딸 좀 살려 주세요.
왜 네가 가니. 내가 가야 하는데 왜 네가 가니–!
가자! 일어나서 집에 가자!
종혁은 잠시 몸을 돌리며 그 슬픔을 외면할 수밖에 없었다.
할 말이 없기에.

피해자를 구하지 못한 경찰은 언제나 죄인이기에.
종혁은 틀어막히는 가슴을 때리며 눈을 감았다.

"후우. 감사합니다."
화장터. 엘리나의 부모는 화장을 하는 걸 선택했다.
진짜 다리오 도밍게즈, 엘리나와 레냐의 아버지가 종혁의 손을 꼭 잡는다.
종혁이 큰딸을 죽인 범인과 작은딸을 찾기 위해 어떤 노력을 기울였는지 들었기에 그의 눈에는 감사의 뜻만 가득하다.
애써 정신을 붙드는 그의 모습에 정신을 놓은 채 하염없이 울고만 있는 리즈 도밍게즈를 힐끔 본 종혁이 고개를 젓는다.
그리고 깊이 허리를 숙인다.
"구하지 못해서 죄송합니다."
"아닙니다. 요원님께선 충분히 다하셨습니다. 덕분에 레냐마저 잃지 않을 수 있었으니까요."
만약 레냐마저 잃어버렸다면 아마 이렇게 정신을 붙들고 있지도 못했을 거다.
"이런 상황에서 제가 할 말은 아니지만, 이제 어떡하실 생각이십니까."
"가야죠."
엘리나가 뛰어놀던 집으로.
큰딸의 웃음소리가 울리던 집으로.

아메리칸드림은 없었다는 걸 알게 됐으니 레냐도 데려갈 거다.

다리오는 엄마가 울기에 같이 울다 잠든 레냐의 머리를 쓰다듬었다.

"두 분이서 미국으로 넘어오시는 방법도 있습니다."

영주권도 바로 얻게 할 거다.

자신과 CIA가 도울 거다.

다리오 도밍게즈는 승낙만 하면 됐다.

"……그 부분은 좀 더 생각해 봐도 되겠습니까?"

아내와 자신만 있었다면 아마 거부했을 거다.

하지만 미래가 없는 쿠바에서 하나만 남게 된 딸을 키울 순 없었다.

그래서 밀항선에 태웠는데…….

종혁은 다시 눈물이 차오르는 다리오 도밍게즈에게 담배를 내밀었다.

"감…… 사합니다."

찰칵! 치이익!

"언제든 말만 하십시오."

종혁은 그의 손에 명함을 쥐여 주었다.

"만약 잃어버리시거든 미국 대사관이나 러시아 대사관을 찾아가셔서 최를 찾아 주십시오. 그럼 제게 연결이 될 겁니다."

"……정말 감사합니다."

"아, 나온 것 같군요. 데리러 가시죠."

"예. 데리러 가야죠."
이제 한 줌의 백토로 남은 딸을 데리러 가야 했다. 다시 한 팔로 안을 수 있게 된 딸을.
안에서 얼마나 뜨거웠을까.
죽어 가며 얼마나 원망했을까.
"크흐윽!"
종혁은 무너지려는 다리오를 부축했다.

* * *

"감사합니다. 감사합니다."
다리오와 리즈는 연신 종혁에게 허리를 숙이며 공항 안으로 들어갔다.
이제 그들은 종혁의 전용기를 타고 쿠바로 돌아가게 될 거다.
"아저씨, 차오! 바이바이!"
손을 붕붕 흔드는 레냐의 모습마저 사라지자 종혁은 담배를 물었다.
"푸후우."
"그 야구선수의 누나가 방금 막 수술에 들어갔습니다. 병이 있는 사람들도 치료에 들어갔고요."
"헨리 씨."
헨리 스미스가 종혁의 옆에 선다.
"그리고 남기를 택한 사람들에겐 비자가 발급될 겁니다."

그래도 일단 강제 송환을 이뤄질 거다.

그것까진 어쩔 수 없었다. 그리고 이래야 비자를 발급받기가 쉬워진다.

"……감사합니다."

이것저것 참 많은 게 감사했다.

"한 가지 부탁을 더 드려도 될까요?"

"밀입국자들과 불법 체류자들을 위한 재단도 준비 중입니다."

"저를 너무 잘 아시는 거 아니에요?"

"뭘요. 다 저희 미국 국민이 되어 줄 이들인데요."

"10억 달러를 내놓을게요."

"저런. 대가리에 똥만 찬 타임즈들이 뒤집어질 이야기군요."

"대리인은 적당히 세워 주세요. 인권운동가가 좋겠네요."

"좋은 사람으로 수배해 놓겠습니다."

푸근히 웃던 헨리 스미스는 돌연 낯빛을 굳혔다.

"최, 먼저 사과를 드려야 할 것 같습니다."

"예?"

종혁은 헨리 스미스가 넘기는 두툼한 대봉투를 의아해하며 받아 들었다가 이내 굳어 버렸다.

이름 김상필. 1998년, 실종.

첨부된 사진을 보자마자 딱 알겠다.

앤디 가르시아다. 덥수룩한 수염 따위가 얼굴을 가렸지만 분명 앤디 가르시아였다.

종혁은 해명을 바라는 눈으로 헨리를 봤다.

"미안합니다, 최. 실수로 흘러나온 말을 듣고 말았습니다."

"……흘러나온 말이 아니라 엿들은 거겠죠."

불쾌하다.

지금 이게 뭐 하는 짓일까.

"변명은 하지 않겠습니다. 하지만 이것만 알아주십시오. 친구인 당신의 적은 CIA의 적이란 것을!"

"아니…… 하아."

어떤 꾸밈도 없이 진심으로 부딪쳐 오는 눈.

물론 그럴 일은 없겠지만, 친구란 말을 들으니 화를 낼 마음이 작아져 버린다.

다시 한숨을 내쉰 종혁은 뒷장을 넘겼다가 다시 굳어 버렸다.

앤디 가르시아가 김포공항에서 누군가를 만나는 CCTV 사진.

"이걸 어떻게?"

"최에겐 미안한 말이지만, 당시 한국의 공항, 국제선을 이용하는 이용객들은 모두 저희 CIA의 데이터베이스에 남아 있습니다."

지금도, 그리고 앞으로도 그렇지만 이땐 정말 큰마음을 먹지 않은 이상 해외여행을 가지 못하던 시절이다.

신혼부부들이나 동남아로 신혼여행을 갔을까. 효도 여행도 제주도가 최고라 치부하던 시절이었다.

더욱이 1998년도는 IMF를 직격으로 맞았을 때다.
모두가 힘든 시기이기에 사치를 줄이자는 기조가 만연했고, 해외여행을 가면 주위 사람들에게 역적 소리를 들었을 정도였다.
"그 시기에 해외여행을 가면 비즈니스에 관한 일이거나 부자일 테니까요?"
"예. 누가 저희 미국에 도움을 줄지 모르니까요."
'진짜 징글징글하네.'
그 덕분에 흔적을 찾은 것이긴 하지만 질려 버릴 수밖에 없다.
'그런데…… 성형을 안 했다?'
의아해하며 자료를 계속 살핀 종혁은 이내 고개를 끄덕였다.
강원도의 한 국도 휴게소에서 카드를 쓴 걸 마지막으로 행적이 묘연해진 앤디 가르시아.
"연수원에 들어갔군."
종혁와 SVR이 날려 버린 그 연수원. 놈은 아마 연수원에서 성형을 받고, 새 신분을 얻었을 거다.
다음 장을 넘긴 종혁은 다시 굳었다.
공항을 나선 앤디 가르시아를 마중 나온 인물이 있다.
최악이라고 할 수 있을 정도로 화질이 좋지 않지만…….
"이, 이 차 번호는?"
"역시 기억하고 있을 줄 알았습니다."
휙!

다급히 헨리 스미스를 바라보는 종혁의 눈이 흔들린다.

"김성령 의원……."

통칭, 김 의원 사건.

종혁이 서울중앙지검에서 명예수사관으로 인턴 생활을 할 때 맡았던 동출이파 사건과 연결된 사건.

동출이파로 인해 신체포기각서 등으로 미성년자들을 억압해 도우미, 아니 노예로 살았다 구출된 여성들이 쏘아 낸 작은 공.

동출이파에게 뇌물을 받은, 당시 어떤 재개발에 깊게 연루되어 있던 김성령 2선 시의원.

그의 위에 누군가 있다는 걸 알게 됐지만, 그 중간 다리가 사라지면서 찾을 수 없게 됐고, 김 의원은 검찰 조사를 받은 후 자택에서 목을 맸다.

자살을 당했는지 자살을 한 건지는 모르지만, 일단 자살로 판명.

후에 중간 다리가 썼던 자동차를 겨우 찾았지만, DNA나 지문이 죄다 오염되어 놈이 누군지 알 수가 없었다.

사건은 그렇게 종결되어 버렸다.

그런데 앤디 가르시아를 마중 나온 게 그 중간 다리가 썼던 자동차다.

"미친……."

'이게 이렇게 연결된다고? 정말 놈들이었다고?'

워낙 증거가 없어 심증은 짙지만 확신은 할 수 없었던

일. 그것에 대한 실마리가 풀리는 것 같다.

종혁은 얼른 자료들을 넘기기 시작했다.

"정말 치밀한 놈이더군요."

돈도 거의 현금만 쓴 듯 추적이 불가능했다.

그때 CIA는 다른 각도로 생각을 했다.

앤디 가르시아가 자주 들르던 SG 인터내셔널. 그들의 금융 거래 내역을 뒤진 거다.

정말 애로 사항이 많았다. 무려 10년 전 일이라서 더욱 그랬다.

그래도 집요하게 추적한 결과 결국 찾아낼 수 있었다. SG 인터내셔널과 이어진 한국의 어느 회사를.

"아니, 정정하죠. 정말 치밀한 놈들이었습니다."

1999년 말에 폐업을 하면서 정말 유령처럼 흔적도 없이 사라져 버렸던 놈들.

그런데 마지막까지 법인 카드를 마구잡이로 쓴 인물이 있었다.

이경대. 나이 48세.

진짜 신분인지는 모르지만, 아무튼 여러 정황상 이 존재가 앤디 가르시아가 언급하던 부장이란 인물로 추정이 됐다.

"하지만 그마저도……."

"돌겠네."

회귀 후 어머니와 함께 처음으로 갔던 스키장.

지금은 절친한 친구인 이리나 샤크를 만난 곳이자, 자

신과 어머니를 죽인 놈과 흡사한 목소리를 들은 그곳.
이경대가 마지막에 카드를 쓴 곳이 바로 그 스키장이었다.
놈들도 그곳에 있었던 것이다.
"그곳에서 숙박을 한 것을 마지막으로 행적이 사라졌습니다."
증발하듯.
마치 너희가 아무리 날 쫓아도 여기가 끝이라는 듯.
'설마 여긴가? 그 개새끼가 놈들과 만나게 된 곳이?'
터무니없는 망상이었지만, 정말 그놈이 맞는지도 모르지만, 종혁은 왠지 이때 자신과 어머니 고정숙을 죽인 놈이 이곳에서 놈들과 만나게 됐을 것 같았다.
"빌어먹을!"
'어떻게든 끝까지 찾아야 했어!'
떨리는 손으로 다시 문 담배에 불을 붙인 종혁은 애써 마음을 진정시켰다.
"후우, 감사합니다."
"도움이 됐다면 다행입니다. 현재 미국 전부를 뒤져 놈들의 흔적을 쫓고 있으니 곧 다른 꼬리를 찾아낼 겁니다."
종혁은 의아한 눈으로 헨리를 봤고, 그는 푸근히 웃었다.
"친구잖습니까."
"……푸핫!"

솔직히 놈들을 쫓는 데 CIA의 도움까지 더해진다면 마다할 이유는 없었다.

그럼에도 지금까지 구태여 종혁이 그들의 손을 빌리지 않은 건, 어디까지 놈들의 손길이 닿아 있는지 짐작조차 할 수 없는 탓이었다.

만약 CIA에도 놈들과 연결된 자가 있다면?

도리어 정보에 혼선이 생기거나, 심지어는 자신을 도우는 이들이 다치는 일마저 생길지도 몰랐다.

그렇기에 종혁은 놈들을 쫓는 일에 다른 이들의 손을 함부로 빌리지 않고자 했다.

그러나 먼저 나서서 도와주겠다고 하는 것까지 말릴 수는 없는 노릇.

상황이 이렇게 됐다면 기꺼이 CIA의 도움을 받을 생각이었다.

'분명 놈들은 미국에서 또 일을 벌였을 거야.'

앤디 가르시아가 세상에서 사라진 지 무려 10년이다.

러시아에서 다단계 투자 사기가 아작 나면서 연수원과 지부가 날아갔음에도 몇 년이 채 지나지 않아 다시 러시아에서 수작을 부린 걸 보면 놈들은 분명 미국에서 또 수작을 벌였을 거다.

어쩌면 지금 수작을 부리고 있는 중인지도 모른다.

'그런 놈들을 찾을 수만 있다면?'

놈들의 다른 꼬리를 찾을 수 있다면?

"놈들은…… 광적으로 돈에 집착합니다."

"호?"

돈을 위해서라면 사람 목숨도 파리처럼 취급하는 놈들.

"사기, 인신매매, 마약 등 지금 그 어떤 범죄를 저지르고 있을지 모릅니다."

다만 현금에 관련이 있을 거다.

"현금……."

"인맥, 명예 그런 건 놈들의 사전에 없는 단어일 겁니다."

"좋군요."

아주 좋다. 종혁이 마음을 연 것 같아서.

헨리는 찢어지려는 입을 겨우 추스르며 말을 이었다.

"그럼 저를 용서하는 겁니까?"

"친구라면서요."

"하핫! 가시죠. 근처에 제가 예전에 알던……."

"내 이럴 줄 알았지."

또각또각!

헨리는 붉은 구두로 미국의 대지를 짓밟으며 나타나는 나탈리아에 얼굴을 구겼고, 종혁은 피식 웃었다.

"어째서 당신네 한국 애들이 꼬리에 불붙은 개처럼 뛰어다니나 했더니만……."

"쯧. 이번엔 어떻게 들어온 건지."

나탈리나는 코웃음을 치며 종혁을 향해 화사한 미소를 보냈다.

"CIA의 일 처리는 마음에 드셨나요, 최?"

"최고던데요?"

"저런. 저희가 좀 더 분발해야겠네요. 가요. 마이애미에 제가 잘 아는 맛집이 있거든요."

"나탈리아가요?"

"끙. 거길 말하는군."

냉전 시절 세계뿐만 아니라 미국을 종횡무진했던 나탈리아가 자주 갔던 식당.

아니, CIA의 추적에 혼선을 주기 위해 일부러 드러낸 식당.

헨리 스미스가 그곳을 모를 리 없었다.

"플로리다식 쿠바 식당입니다. 당시 쿠바 대통령궁의 수석 요리사였던 사람이 차린 가게로, 정말 아는 사람만 아는 최고의 식당이죠."

미슐랭 가이드의 선정도 마다한 식당.

'아, 그러고 보니 보스에게 줄 쿠바 샌드위치도 사야 했지?'

최고의 쿠바 샌드위치를 사 오라는 엄명을 내렸다.

"하핫. 그래요. 가죠."

할 이야기도 더 남아 있고 말이다.

종혁은 마치 자신이 안내하겠다는 듯 앞장서는 나탈리아와 헨리를 보며 눈을 가늘게 떴다.

'그래. 나쁘지 않아.'

종혁은 웃음을 흘리며 그들의 뒤를 따랐다.

4장. Thank you for your servise

Thank you for your servise

우글우글!

마치 먹이를 잔뜩 들고 개미굴로 복귀하는 개미들처럼 사람들이 가득 밀려드는 중국 칭다오의 지하철역 입구.

"아, 좀 갑시다!"

"앞에 움직여!"

뒤에서 밀고, 앞에서 막는 사람들 끼어 지하철역을 탈출한 날카로운 인상을 지닌 이십대 중반의 사내가 경적이 울리는 소리로 가득한 도로를 보며 이를 간다.

호리호리한 몸매에 양 주먹에 올올히 박혀 있는 굳은살.

쉬이 다가갈 수 없는 인상이다.

-오늘부터는 대중교통으로 출근해라.

아침에 일어나 나란히 모닝주스를 먹던 차에 날아온 통보.

마른하늘에 날벼락 같은 통보였다.

"허, 참. 내가 새 여친이랑 출근하려는 걸 모를 줄 아나."

얼마 전, 회사의 여직원과 연애를 하게 된 아버지.

지금은 홀몸인 아버지이니 연애를 하든 말든 신경을 쓰지 않지만, 그래도 최소한 하나뿐인 아들에게 피해는 주지 말아야지 않겠는가.

"내가 서러워서라도 차를 사든 해야지, 원. 그런데 귀는 또 왜 이렇게 가려운 거야?"

마치 누가 욕을 하는 듯 가려운 귀를 후벼 파며 인파에서 빠져나온 사내는 한참을 걸어 칭다오 번화가의 5층짜리 건물 앞에 선다.

어느새 그의 손에 들려 있는 요우띠아오와 따끈한 콩물.

마지막 한 입 남은 중국식 꽈배기 요우띠아오를 입에 넣고 콩물로 넘긴 사내는 작은 건물 안으로 들어갔다.

그리고 그런 그를 반기는 사람들.

"안녕하십니까!"

"좋은 아침입니다, 왕유춘 대리님!"

나이는 어리지만, 엄연히 대리인 그에게 먼저 인사가 날아온다.

"네, 좋은 아침입니다."

푸근히 웃으며 인사를 받은 그는 자리에 가방을 내려놓자마자 사장실로 올라갔다.

쾅!

문을 박차고 들어간 그.

후다닥!

"호호. 그럼 전 이만 가 보겠습니다, 사장님."

"그래요. 오늘 그거 잘 준비하고요."

"예, 사장님."

사내는 말려 올라간 미니스커트 치마와 흐트러진 머리를 추스르며 사장실을 빠져나가며 눈인사를 하는 젊고 예쁜 여성을 바라보다 사장에게 다가간다.

그런 그의 모습에 얼굴을 구기는 사장.

"야, 왕 대리. 노크 모르냐?"

사장의 입에서 흘러나오는 한국어에 사내도 한국어로 응수한다.

"아침부터 기력도 좋으십니다, 아버지."

"회사에선 사장님."

"예, 사장님."

사장은 얼굴에 반항이 가득한 아들의 모습에 한숨을 내쉬었다.

"하아. 또 뭐?"

"아침 드시라고요."

다 식어 버린 요우띠아오와 콩물을 내려놓는 그.

"……땡큐. 크, 역시 콩물은 이 집이 최고야. 식으니까 더 구수하네."

능청스런 아버지의 모습에 사내는 눈빛을 서늘히 가라앉혔다.

"대체 어쩌시려고 그럽니까?"
방금 빠져나간 새 애인은 엄연히 일반인이다. 이렇게 가까워지면 분명 탈이 날 수밖에 없었다.
그런 아들의 말에 사장은 피식 웃었다.
하지만 얼음처럼 차가워진 눈빛.
"아들, 지금 네가 날 가르치는 거냐?"
철렁 심장이 내려앉은 사내는 고개를 숙였다.
"……죄송합니다."
자신이 소속된 회사에서 사장, 아니 엄연히 지부장을 맡을 정도로 대단한 인물인 아버지.
아버지와 아들, 부자 놀이에 심취해 실수를 한 거다.
사내의 눈에서 감정이 사라지자 사장은 겉으론 고개를 끄덕이면서도 속으론 혀를 찼다.
"됐고. 곧 부산 지부장이 프로젝트를 정리하고 넘어온다는 거 알지?"
"조희구 지부장 말입니까? 예, 알고 있습니다."
조희구 부산 지부장.
현재 그가 올린 수익이 무려 8조 원 이상. 회사의 역사를 뒤져 봐도 단일 프로젝트로 이 정도의 수익을 올린 사람은 없었기에 본사에서도 예의 주시 및 케어를 하는 걸로 알고 있다.
"그거 네가 맡아."
이곳 중국으로 도주해 올 조희구를 케어하는 것.
정확히는 그러면서 이곳까지 쫓아올 한국 경찰과 검찰

이 추적을 못하도록 방해하고 돈을 세탁하는 일이다.
사장은 그걸 말하고 있었다.
"……말이 나올 텐데요."
고작 대리급이 케어하기엔 너무 덩치가 큰 조희구.
분명 한국 지부들에서 말이 나올 거다. 아니, 이곳 중국 동부 지부 안에서부터 말이 나올게 분명했다.
"그럼 언제까지 해외 지부에서 구를 건데? 네가 회사에 입사한 게 벌써 7년이야. 올해로 7년째."
차라리 지옥이 나을 정도로 지독했던 2년의 훈련을 마치고, 그 성적을 인정받아 미성년임에도 입사를 하게 된 아들.
"전 상관없습니다."
어차피 앞에 있는 아버지에 의해 구해진 목숨이다.
그날, 아버지를 만나지 않았다면 눈 내리는 스키장에서 싸늘히 죽어 갔거나 거리의 부랑자로 떠돌다 삼류 양아치 범죄자가 됐을 자신.
아버지는 생명의 은인이자 구원자였다.
그런데 그런 아버지를 두고 어딜 간단 말인가.
사장은 불만이 서리는 아들의 눈에 담배를 물었다.
찰칵! 치이익!
"조희구가 낸 수익, 정확히는 그 수익이 세탁을 마치고 본사에 꽂히는 순간 제2기획실장은 임원으로 승진이 될 거다."
본사 상무, 혹은 전무.

세탁을 끝마친 돈이 모두 입금되어야 하지만, 늦어도 4년 안에는 그렇게 될 거다.

"제2기획실 소속 직원들 중 일부는 그의 비서팀이 되겠지."

즉, 본사에 TO가 난다는 거다.

하지만 아무나 들이는 본사가 아니니 TO가 다 채워지는 데는 꽤 시간이 걸릴 거다.

"아들, 지부는 말 그대로 지부야."

본사의 손과 발.

손과 발은 어떻게 해도 머리가 될 수 없다.

"난 네가 본사에서 과장을 달았으면 좋겠다, 성현아."

움찔!

"……비겁하네요."

네 과거를 잊으면 안 된다며 계속 쓰게 만든 본명.

그러면서도 아버지의 성인 최씨를 덮어씌우며 새로 태어난 이름 최성현.

그런 본명을 들먹이면서까지 부탁하니 말을 들을 수밖에 없다.

"차라리 평소처럼 협박을 하시지 그러십니까."

정말 비겁했다.

"몰랐냐? 나 원래 비겁해. 나도 비겁하고, 너도 비겁하고, 회사도 전부 다 비겁하지!"

"아버지!"

"푸흐흐. 걱정 마라. 이 정도 흉을 본다고 해서 은퇴를 당하진 않으니까."

"끄응. 알겠습니다. 생각은 하고 있겠습니다."

사장은 그 정도면 됐다고 고개를 끄덕이다 아차 하며 눈빛을 가라앉혔다.

"아마 최종혁 그놈이 조희구 지부장의 뒤를 쫓아올 거다. 지금 미국에 있다고 해도 분명 그럴 테지."

현재의 아들에겐 아직 벅찬 상대일 수 있는 종혁이기에 사장은 걱정을 드러냈다.

"최종혁……."

회사의 일을 번번이 방해하는 악적.

사내의 눈에서 다시 감정이 사라진다.

"제거합니까?"

"본사의 의지가 중요하긴 하지만, 그때 상황 봐서."

최종혁이 선을 넘는다면, 혹시라도 아들이 위험에 처한다면 그땐 본사가 말려도 제거를 해야 됐다.

그 끝이 자신의 은퇴라고 해도 말이다.

"……그 준비도 해 놓겠습니다."

"나가 봐. 내가 한 말 허투루 받아들이지 말고."

"저보다 어린 새어머니를 들이지만 않는다면 생각해 볼게요."

"이놈이?!"

피식 웃은 사내는 사장실을 나오며 담배를 물었다.

"최종혁…… 최종혁……."

분명 증오스러운 이름인데 왜 이렇게 입에 달라붙는지 모르겠다.

사내는 고개를 저으며 사무실로 향했다.

* * *

“후우.”

마이애미공항 인근 호텔의 카페 안.

이른 아침부터 심각한 표정을 한 헨리 스미스가 담배 연기를 내뿜는다.

그런 그의 시선이 맞은편 자리로 향한다.

립스틱이 묻은 담배꽁초와 묻지 않은 담배가 있는 재떨이. 차가운 냉기만 남은 그 재떨이를 응시하는 그의 손이 떨린다.

“……제기랄.”

그는 핸드폰을 들었다.

“나다. 베어스턴스의 현재 상황이 어떻지?”

미국의 수많은 투자은행들 가운데서도 다섯손가락 안에 꼽히는 초대형 투자은행 베어스턴스.

-그게 현재 베어스턴스는…….

“어음 막을 수 있어, 없어?”

-……없을 겁니다.

질끈!

헨리 스미스는 눈을 감았다.

방금 전 떠난 종혁이 경고한 베어스턴스의 파산.

놈들에 대한 단서를 준 선물이라고 했지만, 헨리 스미

스로서는 끔찍한 말일 뿐이었다.

'결국 도미노가 쓰러진다는 건가…….'

베어스턴스의 파산을 시작으로 미국 경제가 본격적으로 무너져 내릴 거다. 안 그래도 위험 신호를 보내는 중인 미국의 경제가 베어스턴스를 시작으로 붕괴되는 거다.

그 누구도 막을 수 없는 자업자득의 재앙.

미국은 어쩌면 세계 패권국의 자리를 내려놓아야 할지도 몰랐다.

"준비해. 아니, 국내 경제파트 병신들에게 준비하라고 해! 8월부터 진짜 지옥이 열릴 테니까!"

종혁과 러시아, 그 둘이 달려들어 미국을 물어뜯는 지옥이.

'그 둘을, 아니 최를 막을 수만 있다면 좋겠지만…….'

그건 지금 당장 어렵다고 황금알을 낳는 거위의 배를 가르는 짓. 그렇다면 지금 취해야 할 포지션은 하나다.

"그리고 우리도 준비해. 우리 동아시아 파트는…… 미국과 세계의 추락에 베팅한다."

—예……!

통화를 종료한 헨리 스미스는 이를 악물었다.

수없이 경고를 하고 자료를 들이밀었음에도 변변한 대응조차 못한 CIA의 상부와 정부.

물론 그들도 노력은 했다.

휘청거리는 경제를 바로잡으려고 엄청난 노력을 기울였다.

하지만 이 거대한 미국을 바로 세우기엔 부족했다.

'만약 최가 처음 경고했을 때, 월 스트리트를 쳤다면 어땠을까.'

쳐 낼 놈들을 다 쳐 냈다면 지금쯤 어떻게 됐을까.

뼈아픈 손실이 있었겠지만, 미국이 무너지는 걸 막았을지도 모른다.

그렇게 외쳤지만, 위에선 받아들이지 않았다.

이 사태를 월 스트리트가 불러 왔음에도 말이다.

그 결과가 결국 베어스턴스의 파산.

미국 경제 붕괴의 트리거가 될지도 모르는 일.

빠드득!

"내가 되어야겠군."

아무래도 CIA의 국장이 되어야 할 것 같다.

눈빛이 서늘히 가라앉은 헨리 스미스는 종혁과 나탈리아의 꽁초가 있는 재떨이에 담배를 비벼 끄며 일어섰다.

* * *

"그들의 작업이 점점 늦어지고 있어요."

"그렇겠죠."

현재 바이칼호에서 보물선 인양 사기를 벌이고 있는 놈들. 원래부터 없던 보물을 만들어 내야 하기에 꽤 시간이 걸릴 거다.

"앞으로는 더 늦어지게 될 겁니다."

인양 사기들이 다 그렇다.

처음엔 역사에도 기록된 보물선이라고 뻥을 치며 투자자를 모집한다. 보물선을 발견만 하면 대박. 당연히 지갑이 턱턱 열린다.

하지만 그것도 어느 정도다.

어느 선을 넘으면 투자액이 모이는 속도가 확 꺾인다.

그때 사기꾼들은 보물을 발견했다며 정교하게 만든 가짜 보물, 도자기 조각 따위를 내민다.

그럼 투자액이 다시 천장을 뚫는다.

그러다 투자액이 줄어들 때쯤 다시 보물을 내놓고.

이걸 몇 번 반복하다 튀는 것이 바로 인양 사기다.

그렇기에 인양 사기는 의외로 긴 시간을 필요로 하지 않는다. 정말 길어야 2년, 그 안에 사기가 마무리된다.

"아마 놈들은 길어도 반년 이상 끌지 않을 겁니다."

너무 유명해졌다.

은밀함을 생명으로 생각하는 놈들로서는 부담이 될 수밖에 없었다. 나탈리아는 동감이라는 듯 고개를 끄덕였다.

"준비해야겠네요. 그런데 음……."

무슨 말을 하려는지 입술을 달싹이던 나탈리아가 결국 한숨을 내뱉는다.

"최, 정말 베어스턴스가 부도를 낼 거라고 보나요? 미 정부가 가만히 있을까요?"

"당연히 가만히 있지 않을 겁니다."

이 사태를 초래한 월가의 괴물들도, 상황이 이 지경까지 왔음에도 결코 욕심을 벗어던지지 못하는 그 탐욕의 화신들도 가만히 있지 않을 거다.

"정부는 아마 베어스턴스를 예쁘게 포장해 월가의 괴물들 중 하나의 아가리에 쑤셔 넣겠죠."

하지만 상한 음식을 먹으면 결국 탈이 나는 법.

"전에 말했던 대로 베어스턴스가 시작입니다."

"……맞아요. 당신은 이때쯤 미국의 공룡 투자은행 중 하나가 쓰러질 거라고 했죠."

아무리 종혁이 한 말이라고 해도 솔직히 믿기지 않았다. 하지만 돌아가는 꼴을 보니 이젠 정말 그렇게 될 것 같았다.

"그랬죠. 그게 베어스턴스가 된 것뿐입니다."

이제 미국 경제는 베어스턴스를 시작으로 걷잡을 수 없이 무너질 거다.

"어쩌면 AIG가 무너질 수 있을 것 같습니다."

쿵!

종혁의 말은 담담했지만, 듣는 나탈리아로서는 심장이 내려앉는 말이었다.

미국 최대 보험회사인 AIG.

"서, 설마요!"

"물론 정부가 막을 겁니다."

천문학적인 돈을 퍼부어 결국 살려 낼 거다. AIG가 파산한다는 건 거의 미국의 파산과 비슷한 의미니 말이다.

"어떻게든 살려 내겠죠. 하지만 그건 우리가 끼어들지 않았을 때의 이야깁니다."

"아!"

나탈리아는 탄성을 터트렸다.

이제야 알 것 같다.

종혁이 그리고 있는 그림의 진짜 크기를!

오싹!

'미쳤어!'

나탈리아의 심장이 빠르게 뛰기 시작했다.

"……그래서였군요."

작년부터 펼쳐진 이 판에 종혁이 끼어들지 않았던 이유.

그러면서 러시아까지 막았던 이유.

'그래, 이럴 거라 예상은 했어. 했는데…….'

러시아의 모든 경제 전문가들이 내놓은 예측보다 배 이상은 큰 규모다. 그런 나탈리아의 생각을 아는지 모르는지 종혁은 냉소를 터트렸다.

"고작 푼돈도 안 되는 돈 따위로 미국과 척을 질 순 없죠."

어차피 진짜 판은 지금부터다. 작년에 벌어졌던 판은 지금부터 열릴 판과 비교하면 애교 수준.

그런데 만약 그 판에 끼어들었다면 어떻게 됐을까?

"맞아요. 미국이 화를 냈겠죠."

"적당히 처먹었으면 꺼지라고 엉덩이를 걷어찼을 겁니다. 그런데 지금은?"

그럴 수조차 없다.

이쪽에서 아무리 물어뜯어도 미국은 그 어떤 항변조차 할 수 없다. 후에 불이익도 줄 수 없다.

왜? 작년에 끼어들지 않았기 때문이다.

명분은 이쪽에 있었다.

"곧 보게 될 겁니다. 무릎 꿇고 애원하는 미국을요."

"……아하핫!"

나탈리아가 눈가에 맺힌 눈물을 닦는다.

종혁의 말대로라면 미국이 러시아에게 사정을 하는 거다.

그 미국이, 이 미국이 러시아에게.

좋았다. 환상적이었다.

"AIG까지 상정한다면 지금까지 준비해 온 것보다 더 치밀하게 준비해야겠네요."

"적당히 해도 배 터지도록 먹을 겁니다. 명심하세요. 미국이 무너지면 안 됩니다."

"걱정 마세요. 우리 러시아도 그건 바라지 않으니!"

미국이 무너지면 세계가 무너진다.

러시아는 그걸 바라지 않았다.

그리고 이렇게 벌어들인 돈은 러시아의 부양을 위해 쓰일 거다.

"오. 그럼 그 첫 삽은 앞으로 몇 년 후에나 뜨겠네요."

"후후! 메드베제프가 당선될 거라고 생각하나요?"

곧 대통령 선거를 치르는 러시아. 종혁과 인연이 깊은

현 러시아 총리이자, 러시아 대통령의 최측근인 메드베제프가 이번 대선에 출마한 상태였다.

"메드베제프 씨에게 미리 당선 축하한다고 전해 주세요."

"직접 하면 더 좋아할 거예요."

"아, 그게 낫겠네요."

"그럼 갈게요. 다음에 봐요."

쵹!

종혁의 볼에 입을 맞춘 나탈리아는 공항 안으로 들어갔고, 종혁은 고개를 저었다.

"정말 치명적이라니까."

하지만 나이 차이가 너무 많이 난다.

혀를 찬 종혁은 핸드폰을 들었다.

"네, 권 이사. 접니다. 옆에 박 이사 있습니까?"

이 판에 뛰어들기까지 남은 시간은 고작 반년, 이쪽도 철저하게 준비해야 됐다.

* * *

기이이잉.

레냐와 레냐의 부모에게 전용기를 빌려주면서 어쩔 수 없이 타게 된 미국 항공사 비행기의 퍼스트클래스 안.

헨리 스미스가 전세기를 빌려준다고 했지만 마다한 종혁이 뉴욕타임즈를 읽으며 자신이 없는 사이 뉴욕에 무슨 일이 있었는지 살핀다.

월 스트리트를 성토하는 내용으로 도배된 기사들.

나날이 하우스 푸어, 룸 쉐어가 늘어난다는 통계에 한숨만 흘러나왔다.

대출을 해서 어떻게든 집을 마련했으나, 치솟는 금리에 극빈하게 사는 하우스 푸어.

그럴 여력조차 안 되어 뜻이 맞는 지인들과 십시일반 돈을 모아 집을 렌트하여 함께 거주하는 룸 쉐어.

다달이 나가는 월세와 월 임대료에 이들의 생계는 나아질 기미가 보이질 않았다.

"이 정도는 아니지만, 한국도 심각하지."

지난 박노형 정부 때 집값이 폭등하며 덩달아 치솟은 전셋값.

이러다간 평생 내 집을 얻지 못하겠다는 위기감에, 이 정도 전셋값이면 차라리 무리를 해서라도 사는 게 낫겠다는 생각에 집을 매매하는 사람들이 늘어나며 가계 대출 비율도 부쩍 늘어났다.

"그게 이번 정부에서 좀 잡아지기는 하는데……."

그렇게 드라마틱하게 잡아지지는 않는다.

그래도 가시적인 성과가 나오고, 덕분에 박명후 최대 치적 중 하나가 된다.

거기까지 생각한 종혁은 피식 웃었다.

대통령 당선 후 고맙다는 메시지를 남긴 박명후 대통령이 떠올라서다. 단체 메일이 아닌 개인적으로 따로 보낸 듯 정성이 가득했던 내용들.

'이런 걸 잘하는 양반일 줄은 몰랐는데…….'

이젠 전 대통령이 된 박노형 대통령은 종혁이 미국에 있다고 하니 약간 서운해하는 메일을 남겼다.

"……후우."

이제 사냥을 나설 경검의 사냥감이 될 박노형 전 대통령을 생각하니 가슴이 쓰리다.

"경찰에선 누가 사냥개로 나섰더라……. 아, 특수본이 만들어졌지 참."

검찰뿐만 아니라 경찰에서도 특별수사대책본부가 조직되어 검찰과 합심하여 박노형 대통령을 물어뜯었다.

그리고 안타깝게도 비리가 밝혀진다.

"대검은 그때처럼 중수부가 움직이려나. 뭐, 나와는 상관없지."

박노형 대통령은 약속만 지켜 주면 된다.

그게 누구든 종혁 자신이 지목한 세 명만큼은 엄중한 법의 심판을 받게 해 주겠다는 약속.

'그러기 위해선 해야 할 일이 좀 많긴 하지만…….'

그건 좀 나중의 일.

고개를 저으며 생각을 털어 낸 종혁은 다른 주제를 떠올렸다.

'놈들을 찾긴 어렵겠지.'

헨리 스미스가 놈들을 찾겠다 했지만 솔직히 회의적이었다.

전처럼 보이는 곳에 문신이 있으면 모르되, 이젠 그 징표를 안 보이는 곳에 숨긴 놈들이다. 결코 쉽게 찾아낼 순 없을 거다.

물론 그렇다고 방법이 없는 건 아니었다.

어떤 사건이든 주범이 아닌 그 주위에 있던 놈들이 증발하듯 사라진 사건.

이걸 위주로 뒤져 보면 될 거다.

"본사에서 직접 진행하는 프로젝트는 극히 드물다고 했지."

김 대리, 김경후가 그렇게 말했다.

"흠. 어디로 갔을까……."

강원도 연수원에서 새 신분을 얻었을 앤디 가르시아.

'일본? 미국? 중국?'

아니, 그 전에 자신과 어머니 고정숙을 죽인 그놈의 외모가 더 궁금하다.

지금 어떤 얼굴일지.

뭘 하고 있을지.

"나이는 나와 비슷해 보였는데……."

"불편하신 점이 있으신가요?"

종혁이 심각한 얼굴로 계속 웅얼거리자 승무원이 다가섰다.

"아, 괜찮습니다."

상냥하게 웃는 승무원을 향해 고개를 젓던 종혁은 아차 하며 입을 열었다.

"오신 김에 이 와인 좀 더 가져다주시겠어요? 치즈도

부탁드립니다."

"네, 알겠습니다."

"이쪽이에요."

저벅저벅!

종혁은 승무원의 안내를 받아 뒤편에서 앞쪽으로 넘어오는 한 군인의 모습에 눈을 빛냈다.

정복을 단정하게 차려입은 채 딱딱하게 굳은 표정으로 걷는 군인.

"당신과 같은 비행기를 타서 영광입니다."

퍼스트클래스에 탑승한 승객들이 일어서 예의를 표한다.

종혁도 일어서 예의를 표했다.

나라를 위해 희생을 하는 군인. 국적이 다르다 하나 군인은 군인이라는 그 자체만으로도 존경을 받아 마땅했다.

'좀 부러운 모습이네.'

엄연한 휴전 국가의 국민으로서 인생에서 가장 꽃을 피워야 할 이십대에 강제적으로 군에 징집되어 2년 동안 국가의 안보를 위해 희생하는 한국의 젊은 청년들.

그러나 그 대우는 어떤가.

'군바리'라며 비하하는 사람이 많고, 그에 군인부터도 휴가를 나왔을 땐 모자로 머리를 가릴 만큼 스스로에 대한 자부심이 없다.

대우를 해 주지 못할망정 군인이 누군가의 호의에 작은 서비스를 받았다고 항의했다는 뉴스를 볼 땐 군인이 아님에도 혈압이 솟는다.

“흠. 군인 우대 서비스를 해 보자고 할까.”

이왕 하는 김에 경찰과 소방관에 대한 우대 서비스도 하면 좋을 듯싶다.

이제야 이걸 떠올린 것에 대해 스스로를 작게 책망한 종혁은 뉴욕에서 내리면 권회수와 연락을 해 봐야겠다고 생각하며 다시 뒷자리로 돌아가는 군인을 응시했다.

그리고 잠시 후.

-승객 여러분, 안녕하십니까. 기장입니다 특별한 전달 사항이 있어 잠시 안내 방송을 드립니다. 이 항공기에는 우리의 존경과 존중을 받아야 마땅한 승객이 있습니다. 그는 얼마 전 목숨을 잃은 상병이며, 지금 여러분의 발밑 화물칸에 잠들어 있습니다.

자신도 모르게 발밑을 본 종혁의 표정이 딱딱하게 굳는다.

-에스코트는 해군 중사가 맡고 있습니다. 나라를 위해 희생해 주셔서 감사하고, 당신의 귀향길에 기장이 될 수 있어서 영광입니다. Thank you for your servise. 감사합니다.

‘순직…….’

“하아.”

듣기만 해도 답답한 단어인 순직.

잠시 고민을 하던 종혁은 승무원을 호출했다.

“예, 고객님. 불편한 점 있으십니까?”

“지금 퍼스트클래스 좌석이 몇 개 남았죠? 아니, 제 마일리지로 지금 방송에 나온 군인분의 좌석을 업그레이드

해 주세요.”
움찔!
“……당신의 호의에 저희 항공사를 대신해 감사하다는 말을 드립니다.”
눈물을 글썽이는 승무원.
“제가 해 줬다는 말은 하지 마시고요.”
“……알겠습니다. 혹시 못 드시는 종류의 음식이 있으신가요?”
종혁은 뜬금없는 말에 피식 웃었다.
“번잡하게 그럴 필요는 없습니다. 그냥 제 것까지 군인께 드리세요. 그리고 이 와인 한 잔 더, 아니 아예 한 병 주시고요.”
“네, 알겠습니다.”
끝내 눈물을 한방울 떨어트린 승무원은 몸을 일으켰고, 종혁은 이내 곧 그녀가 가져다주는 와인을 따라 입에 가져갔다.
그 순간이었다.
“누군지 몰라도 정말 감사드립니다! 당신의 호의에…….”
스륵.
칸막이를 친 종혁은 몸을 뉘이며 옅은 미소를 지었다.
‘Thank you for your servise.’
“좋은 말이야.”
눈을 감은 종혁은 곧 잠에 빠져들었다.

* * *

뉴욕주의 어느 도시, 엄숙한 슬픔이 잠식한 교회.

열린 관 안에 군복을 입은 시신이 누워 있고, 유족들이 그를 보며 눈물을 흘린다.

흘리고 흘려도 또 흐르는 눈물.

부모는 가슴에 말뚝처럼 박히는 상실감에 애써 정신을 붙들려 노력하고, 아내는 찢어지는 가슴에 정신을 놓는다.

아무것도 모르는 어린아이들의 웃음소리가 이 슬픔을 더 처절하게 만든다.

슬프고 슬퍼하는 날.

가족을 잃은 날.

멀리서 돌아온 가족을 땅으로 되돌려 보내는 날.

15살, 어린 아들만이 주먹을 말아 쥐며 굳은 결심을 한다.

이제부턴 자신이 이 집의 가장이었다.

막중한 책임감이 소년의 어깨를 짓눌렀다.

* * *

쾅!

문을 박차고 들어온 종혁이 양손 무겁게 든 휴가 복귀 선물 들어 올린다.

"일용할 양식이 왔습니다!"

"최……!"

"오오! 커피다!"

종혁에게 몰려드는 FBI 요원들.

커피와 도넛을 받아 든 그들에게 종혁이 마이애미에서 산 기념품을 하나씩 넘겨준다.

"자, 벤은 빨간색."

불꽃 문양이 새겨진 새빨간 삼각수영복. 심지어 커플 비키니다.

"자, 잠깐? 최, 네가 왜 내 아내의 신체 사이즈를 알지?"

"……자, 이건 드롭 거!"

"어이, 최. 내 와이프 신체 사이즈는 또 어떻게 아는 거냐? 그리고 내 아내가 하얀색을 좋아하는 것도!"

"푸하하하핫!"

"으하하하핫!"

웃음을 터트리며 폭주하려는 두 요원을 끌어안는 다른 요원들.

"뭐야, 뭐가 이렇게 시끄러워? 아, 최! 휴가는 잘 다녀왔나?"

"덕분에 잘 다녀왔습니다! 아, 보스도 여기 선물입니다!"

메탈릭한 까만색 마이크로 비키니.

정말 중요한 부위만 겨우 가릴 듯 면적이 작은 작은 비키니에 요원들이 굳어 버린다.

참 든든한 리더지만, 그만큼 악마와 다름이 없는 캘리 그레이스.

요원들은 종혁의 손에서 저 미친 것을 뺏기 위해 손을 뻗었다. 아니, 뻗으려고 했다.

"흠…… 땡큐."

부릅!

곧장 뒷주머니에 쑤셔 넣는 캘리 그레이스의 모습에 요원들의 눈이 커진다.

"아하하. 그리고 주문하신 여기 쿠바 샌드위치요. 식긴 했는데 마이애미에서 제일 맛있는 집에서 산 놈이니까 후회하진 않을 겁니다."

"직접 먹어 봤어?"

"당연하죠."

"호. 안 그래도 아침을 부실하게 먹었는데 잘됐군."

바로 포장지를 벗겨 쿠바 샌드위치를 입에 문 캘리 그레이스는 종혁을 향해 엄지를 치켜세웠고, 종혁은 피식 웃었다.

"자자, 주목."

캘리 그레이스가 요원들을 본다.

"오늘 맨하탄에서 시위가 열린다고 한다. 그에 대한 상황 통제 지원을 나가야 하는데……."

다급히 고개를 돌리거나 슬그머니 몸을 피하는 요원들.

"최, 벤, 드롭."

"옛썰."

"네, 네. 알겠습니다."

얼마 전, 그리고 바로 어제까지 휴가를 다녀온 그들 셋에게 거부권이란 없었다.

종혁은 휴가에서 복귀를 하자마자 다시 밖으로 나가야 했다.

* * *

"정부는! 내 집을 돌려 내라!"

"돌려 내라! 돌려 내라!"

"정부는 내 돈을 돌려 내라!"

"돌려 내라! 돌려 내라!"

"내 연금을 돌려 내-!"

피켓을 든 사백여 명의 인파가 맨하탄을 가로지르고, 경찰들이 양옆에 서서 시위대가 일반인을 덮치지 못하게끔 보호한다.

대출금을 갚지 못해 결국 집을 빼앗긴 사람들.

결국 파산해 버린 은행에 예금을 잃어버린 사람들, 연금을 잃어버린 노인들.

시위의 규모는 작아도 그들이 목소리에 스민 한은 지독하다.

찰칵! 치이익!

'베어스턴스 이후 리먼이 무너지면 이 규모는 몇 배, 몇십 배 커지겠지.'

굵직한 것만 따져도 AIG가 무너지고, 투자은행 메릴린치가 뱅크 오브 아메리카에 매각되며, 한국으로 치면 상호저축은행에 해당하는 미국 최대의 대부업체 워싱턴 뮤추얼이 파산한다.

최고, 최대라는 타이틀을 가진 미국의 공룡들이 올 한 해에 수없이 쓰러진다.

이제부터 미국 전역에 시위가 발생할 테고, 끝내 월 스트리트를 불태울 거다.

그리고 계층과 인종의 갈등은 더욱 심해질 거다.

'그건 미국의 다음 정부가 들어서도 마찬가지지.'

소수 인종을 우대했던 다음 정부의 정책.

흑인을 비롯한 소수 인종들을 위한 일명 '케어'라고 불리는 복지 정책에서 백인들은 소외되고, 그에 인종증오 범죄가 급등한다.

"덕분에 흑인들이나 히스페닉 등 소수 인종들의 처우가 좋아지지만……."

미국은 백인이 주류다. 그런 백인이 백인이라는 이유만으로 죄인이 되어 버리는 게, 죄인으로 만드는 게 바로 다음 정부다.

뭐든 장단점이 있는 것이었다.

"후우. 거지 같네."

종혁은 담배를 문 채 다가온 벤과 드롭을 봤다.

씁쓸함이 가득한 그들의 얼굴. 그들의 시선을 따라간 종혁도 씁쓸해진다.

유모차를 살 돈도 없는지 이제 2살 정도 된 아이를 품에 안은 젊은 엄마가 시위대 안에 있다.

"어제 브룩클린에 있는 은행이 파산했다며?"
"뱅크런까지 일어났으니 파산하는 수밖에."
"후우. 이거 우리 연금까지 문제 생기는 거 아닌가 모르겠네."
"우리야 정부 소속이니까 괜찮지. 아, 최는 어때? 한국은 연금…… 아, 너는 딱히 걱정할 필요가 없지, 참."
"없긴 왜 없습니까?"
종혁도 담배 연기를 내뿜는다.
"쥐꼬리만큼 적다고 해도 그게 이 몸뚱이, 언제 죽을지 모르는 이 몸뚱이 아끼지 않으며 국민을 지킨 대가인데요. 국민이 고맙다고, 앞으로도 부탁한다고 주는 선물이요."
"……그 동네도 월급이 적은 건 마찬가지인가 보네."
"그러니 사명감 없으면 이 짓거리 못하는 거죠."
그 사명감도 없이 경찰이 되는 놈들 때문에 종종 문제가 생기지만 말이다.
"혹시 주식이나 펀드 상품, 투자은행에 돈 넣어 놓은 거 있으면 지금이라도 빼요."
"……무슨 정보라도 있는 거야?"
"부자는 괜히 부자가 아니에요."
"현물을 들고 있으란 소리지?"
"금이나 보석, 기름도 나쁘지 않죠."
곧 유가가 엄청나게 상승한다. 그때를 노리는 것도 나쁘지 않다.
"정부도 경기 부양을 위해 적극적인 소비와 투자를 권

유할 테고.”

가장 먼저 공무원들에게 권유할 거다.

일단 정부나 주, 시의 입장에서 공무원 월급은 고정 지출 비용이니 말이다.

“이를테면 환수의 개념으로요.”

대신 은밀히.

공무원이 대놓고 소비와 투자를 하면 시위대가 워싱턴 DC의 백악관으로 갈지도 모른다.

“……와우. 역시 부자는 세상을 보는 시선이 다르네.”

“현물이라…… 아, 멈췄다.”

타임스퀘어에서 시위대가 멈추자 그들도 잠시 한숨을 놨다.

진짜 시위는 이제부터 시작이지만, 그래도 시위대가 멈췄다는 게 중요했다.

칙!

—벤, 너희 조부터 식사하고 와.

“수신. 가자.”

“일단 차로 가요. 재킷은 벗고 가야 할 테니까.”

“……확실히 지금 FBI 재킷을 입고 다니면 맘 편히 밥도 못 먹겠지.”

현재 이 근처에 있는 국민들의 입장에서 보면 시위대가 선, FBI와 경찰은 악이다.

그들은 차로 가서 옷을 갈아입고는 근처의 식당으로 향했다.

웅성웅성.

"쯧."

식당 안을 둘러본 드롭이 혀를 찬다.

"여기 원래 이 시간에 오면 최소 10분 웨이팅은 기본이었는데."

그런데 웨이팅은커녕 테이블이 반조차 채워지지 않았다. 경기가 얼마나 박살이 났는지 여실히 체감이 된다.

"난 베이비백 립과 코울슬로."

"나도 같은 거."

"저도요. 소스는 좀 매콤하게 해 주시고, 양파 튀김이랑 치킨버거, 파인애플 주스도 하나 추가해서요."

주문을 재확인한 종업원이 몸을 돌리자 벤이 테이블에 머리를 박는다.

"하아. 내년까지 제시간에 퇴근을 하는 건 무리겠지?"

"뭐, 그렇다고 봐야지. 저런 시위나 사기 사건, 강력 사건이 폭증할 테니까."

종혁도 동감이라는 듯 고개를 끄덕였다.

'나도 복귀하면 죽어 나겠지.'

미국 경제 대폭락의 영향을 강력하게 받을 한국 역시 사기 사건이나 살인 사건 등 강력 사건을 저지르고 해외로 튀는 놈들이 많아질 거다.

FBI에서 무사히 연수를 끝내고 돌아가도 지옥이 기다리고 있었다.

"하하. 앉으시죠."

드륵!

종혁이 자리에 앉던 그때, 동시에 뒤 테이블에도 손님이 앉았다.

"다시 인사드리겠습니다. 재향군인회와 비즈니스 파트너십을 맺고 있는 코라 인베스트먼트의 에덤 크루거입니다."

'응? 재향군인회?'

미국에서 강력한 단체 중 한 곳인 재향군인회.

호기심이 생긴 종혁은 슬쩍 고개를 돌렸다.

"네, 네. 사라 심슨입니다."

이제 3살 정도 되어 보이는 남자아이를 꼭 끌어안은 이십대 중반의 여성이 긴장된 얼굴로 인사를 받고 있었다.

"일단 이야기에 앞서 감사와 깊은 유감을 표합니다."

"가, 감사요?"

"댄 심슨 일병의 순직은 저희 미국을, 그리고 미국 시민을 지키기 위한 숭고한 희생이었으니까요."

"아……."

단발 금발에 안경을 낀 사라 심슨의 눈이 흔들린다.

먼 곳으로 파병을 갔다가 시체로 돌아온 남편.

정복을 입은 두 명의 군인이 부고를 전하러 왔을 때 그녀는 남편의 죽음을 부정했었다.

–톰이 양치질을 했다고? 와우!

–톰, 이 아빠가 없으면 네가 엄마를 지켜야 해.

–시간이 다 됐네. 아! 더 통화하고 싶다! 이왕이면 사라 너랑 키스도!
–사랑해, 사라. 다음에 또 연락할게.

부고를 받기 고작 2주 전, 영상통화로 이야기를 나눴던 남편 댄.
그런 남편이 죽었다는데 어찌 받아들일 수 있을까.
하지만 남편이 관에 누워 돌아왔을 땐 그녀도 받아들일 수밖에 없었다.
댄이 죽었구나.
내가 세상에서 가장 사랑하는 남자가 죽었구나.
그런 남편의 희생이 헛되지 않았다고 말하고 있다.
그녀의 눈에 눈물이 차올랐다.
"이런. 죄송합니다."
"가, 감사합니다."
에덤 크루거가 내미는 손수건으로 눈물을 찍은 그녀는 애써 웃었다.
"그런데 재향군인회에서 저에겐 무슨 일이신가요?"
"음. 정확히는 재향군인회와 비즈니스 파트너십을 맺은 투자회사입니다. 혹시 실례가 안 된다면, 현재 하시는 일이 무엇인지 여쭤도 되겠습니까?"
"……마트에서 캐셔를 하고 있어요."
"역시 그렇군요."
사라는 고개를 모로 기울였고, 에덤 크루거는 씁쓸히

웃었다.

"현재 미국의 경기가 좋지 않다는 건 심슨 씨도 잘 아실 겁니다. 아마도 현재 일하시는 마트에서 직원 감축에 대한 이야기가 나오고 있을 겁니다."

흠칫!

정답이다. 다음 달에 그에 대한 면담을 진행한다고 했다.

"뒷조사를 한 게 아닙니다. 미국 전역에서 일어나는 일이죠."

경제가 어려워지면 사람들은 어떻게든 지출을 줄이려 한다.

그건 기업도 마찬가지. 이렇게 경제가 어려운 상황에서 가장 골치 아픈 건 아무래도 인건비였고, 직원 감축은 당연한 수순이었다.

"사정이 있으시니 웬만해선 퇴직을 당하지 않으실 테지만, 아무래도 심슨 씨의 나이가 걸리는군요."

언제든 다른 일을 찾을 수 있는 이십대 중반의 나이.

남편이 없다고 해도 감축 대상 우선순위에 꼽힐 수밖에 없다.

"마, 말도 안 돼요! 제게는 톰이 있다고요!"

"하지만, 그 마트에는 심슨 씨보다 더 힘든 사람들도 분명 존재하겠죠. 다수의 자식을 가진 홀어머니라든지 장애인 자식이나 부모를 둔 가장, 연금조차 받지 못하는 노인, 엄청난 빚이 있는 사람 등 힘든 사연을 가진 분들이 존재할 겁니다."

사라 심슨이 다시 놀란다. 정말 그런 사람들이 동료로 있기 때문이다.

그런 그들의 얼굴이 사라 심슨의 눈앞을 스쳐 지나간다.

"그, 그래도! 그래도……!"

"이 사회는 냉혹합니다, 심슨 씨."

"아……."

사라 심슨의 몸이 크게 흔들리고, 에덤 크루거가 안경을 추켜세운다.

"이런 위험성 있기에 재향군인회가 심슨 씨를 추천한 겁니다."

"……그게 무슨 말이죠?"

추천이라는 말에 억지로 감정을 추스르는 그녀.

에덤 크루거는 그런 그녀에게 냉혹한 현실에 대해 더 알려 주었다.

"아마 직장에서 강제로 퇴직을 당하게 되면, 심슨 씨는 미국의 경제가 좋아져 다시 직장을 구할 때까지 댄 심슨 일병의 전사자 보상금으로 버티실 수밖에 없을 겁니다. 이건 비관적인 이야기가 아니라 팩트입니다. 실제로 작년부터 그러신 분들이 많고요."

대학에서 박사 과정까지 밟은 이들도 일자리를 잃는 시기다. 이런 상황 속에서 사라 심슨이 마트에서 잘린다면 다시 일자리를 구하기란 하늘의 별따기일 터였다.

그 말에 다시 하얗게 질리는 그녀.

"그래서 재향군인회에선 저희 투자회사와 조인을 하여

여러분이 보다 나은 삶을 살 수 있도록 기회를 드리고 있습니다."

"기회요?"

"이것을 봐 주시겠습니까?"

에덤 크루거는 한 장의 카달로그를 내밀었다.

"임대차…… 사업 투자 설명서?"

임대차라는 말을 처음 들어 본 그녀기에 어리둥절해 한다.

"쉽게 말해 심슨 씨가 아파트를 사고, 세입자를 들여 월세를 받는 사업입니다."

"네? 저, 저는 그런 걸 살 돈이 없는데요?"

"그러니 심슨 씨와 같은 처지인 분들과 돈을 모아 아파트 같은 공공주택을 사는 겁니다."

"……?"

에덤 크루거는 이해를 하지 못하는 그녀의 모습에 약간 답답해했다.

"예를 들어 심슨 씨를 포함한 10명의 사람들이 모여 10개의 방이 있는 작은 아파트를 매입한다고 치죠. 그럼 심슨 씨는 그중 1개 방에 대한 권리를 주장할 수 있습니다. 여기까진 이해하셨습니까?"

"아……! 그래서 월세라고!"

"예. 심슨 씨는 그 방을 통해 세입자에게서 월세를 받으실 수 있는 겁니다. 마트 캐셔로 일하며 번 돈과는 별개로 말이죠."

"네? 하지만 방금……."

"심슨 씨, 방금 제가 어디와 비즈니스 파트너십을 맺고 있다고 했죠?"

"재향군인회요……."

"예, 재향군인회입니다. 이 미국에서 강력한 단체 중 한 곳인 재향군인회. 그런 재향군인회가 이 어려운 시기에 나라를 지키기 위해 희생한 장병의 유족들을 어찌 가만둘 수 있을까요. 곧 대대적으로 여론몰이를 할 겁니다."

누가 나라를 위해 희생한 군인의 유족을 거리로 내쫓았는가 하는 여론몰이. 그럼 웬만한 곳은 부담스러워서라도 유족을 해고시킬 수 없다.

Thank you for your servise.

미국은 군인을 무척이나 존경하는 나라니까.

"여기에 저희 코라 인베스트먼트에서도 이 상품에 가입을 하신 분들이 다니시는 직장에 작은 투자, 일종의 보조금이 투입될 겁니다. 음, 냉정하게 말하자면 심슨 씨 본인의 돈으로 직장을 계속 다닐 수 있게 하는 거죠."

그쪽에서 받지 않는다면 어쩔 수 없지만, 그래도 여론 때문이라도 쉽게 해고시킬 순 없을 거다.

사라 심슨은 에덤 크루거의 설명에 고개를 끄덕이고는 다시 투자 설명서로 시선을 돌렸다.

"사, 삼십만 달러?"

"한 분께서 최대로 투자하실 수 있는 금액이 삼십만 달러입니다. 최저는 만 달러부터죠. 혹시 보상금을 어떤 형식으로 받으시는지 여쭤봐도 되겠습니까?"

일시불인지 연금 형식인지.
"연금이요. 앞으로 제가 어떻게 될지 모르니까요. 남편처럼 사고사를 당할 수도 있고……."
그럼 남겨진 톰은 어떻게 될까.
자신이 잘못되어도 톰이 자립할 수 있을 때까지 지원을 받을 수 있도록 해야 했다. 그게 엄마의 마음이었다.
"현명하신 선택입니다. 흠, 그럼 그 부분은 연금을 담보로 잡아 대출을 하면 되겠군요. 아, 이자는 걱정하지 마십시오. 월세를 받기 시작하면 남편분의 보상금보다 훨씬 많을 거라고 장담할 수 있으니까요."
삼십만 달러를 투자하는 사람 열 명이 모이면 삼백만 달러고, 백 명이 모이면 삼천만 달러다. 매물의 매입가가 커질 수록 수익은 더 커질 수밖에 없었다.
"현재 부동산 가격이 많이 폭락하신 건 아실 겁니다."
"대출을 갚지 못해서……."
"오, 아시는군요. 저흰 그런 매물 중 알짜배기인 매물들을 탐색해 놓은 상태입니다. 그중 하나가 바로 이곳이죠."
에덤 크루거는 한 장의 사진과 등기부등본을 내밀었고, 사라 심슨은 소스라치게 놀랐다.
"여긴 센트럴파크 주변의?"
"천 명의 투자자를 모아 매입을 할 예정입니다."
"아."
사라 심슨의 눈이 방금 전과는 다른 의미로 흔들린다.
에덤 크루거는 쉽게 결정을 내리지 못하는 그녀의 모습

에 넥타이를 느슨하게 풀었다.

"심슨 씨, 제 조카도 군인이었습니다. 2003년 이라크로 파병을 갔고…… 후우."

말을 하다 만 에덤 크루거가 잠시 먼 곳을 응시하자 놀란 사라 심슨의 눈에 다시 눈물이 고인다.

"후. 죄송합니다."

"아, 아니에요."

"지금 당장 결정을 하지 않으셔도 됩니다. 강요를 하는 것도 아닙니다. 저 역시 군인의 가족인데 어찌 남편 되시는 분의 목숨값을 내놓으라고 강요할 수 있겠습니까."

그저 험한 세상 기댈 곳에 살아갈 비슷한 처지의 사람이 안쓰러워 제의를 하는 것뿐이다.

보다 나은 삶을 위해. 연금 형식의 보상금보다 월에 겨우 몇 백 달러 정도만 더 받는 수준일지라도.

"혹시라도 중간에 누군가 빠져나간다고 해도 너무 걱정 마십시오. 그 지분에 대해선 저희 코라가 매입을 하거나 다른 투자자를 받을 테니까요."

"저, 저는……."

"아, 음식이 나왔군요. 저는 그저 제의만 드릴 뿐이니 돌아가셔서 생각해 보시고 결정해 주세요. 드시죠."

"……네."

사라 심슨은 잠든 아들의 머리를 쓰다듬으며 생각에 잠겼다.

이후 식사를 마친 사라 심슨과 에덤 크루거가 몸을 일으켜 나가자, 조용히 듣고 있던 종혁과 벤, 드롭이 핸드폰을 든다.

"몰리, 전데요. 뉴욕 재향군인회와 파트너십을 맺은 코라 인베스트먼트에 대해 조사 좀 해 줄 수 있을까요? 공시된 자료만이라도요, 예."

"난데, 에덤 크루거라는 인물에 대해 조사 좀 해 줘. 코라 인베스트먼트라는 투자회사 소속이야."

'우려라면 좋겠지만…….'

종혁은 계산을 마치고 가게를 나서는 에덤 크루거를 보며 눈을 가늘게 떴다.

* * *

"코라 인베스트먼트. 3년 전, 월 스트리트에 설립된 투자회사로 설립 당시의 자본 규모는 100만 달러로 그렇게 크지 않아."

주요 투자 분야는 금이나 보석, 채권 등의 안전성 자산. 2006년 말부터는 부동산에 진출하여 임대 사업을 하고 있다.

"주로 일반인을 위한 아파트를 사들여 리모델링 후 다시 임대를 하고 있어."

말을 하던 몰리는 고개를 모로 기울였다.

"왜 이때 임대 사업을 시작한 걸까?"

"사람들이 집을 뺏기기 시작했으니까요."

종혁의 표정이 가라앉았다.

"응?"

"무리하게 대출을 해서 집을 샀다가 치솟는 금리를 감당하지 못하고 결국 집을 경매로 넘기게 된 사람들이 할 수 있는 게 뭘까요?"

"그거야 노숙을 할 게 아니라면…… 아."

그런 거다. 결국 그들에게 선택지는 다시 월세로 돌아가는 것밖에 없었다.

이전보다 오히려 월세가 높아졌다고 하더라도 말이다.

'울며 겨자 먹기로라도 월세를 다시 구할 수밖에 없겠지.'

코라 인베스트먼트의 대표가 누구인지는 몰라도 시류 굉장히 잘 읽었다고 봐야 했다.

"코라 인베스트먼트가 뉴욕 재향군인회와 연결됐을 때가 언제인가요?"

"2007년 10월부터."

"혹시 이유는 조사됐을까요?"

재향군인회는 자체적으로 자본을 관리하는 걸로 알고 있다. 회원들, 즉 제대한 군인들이 내는 회비와 기부금, 맡긴 연금으로 안전성 자산에 투자하고 로우 리스크의 펀드를 운용한다.

이 규모가 정말 어마어마했다.

"조사해 보니까 코라 인베스트먼트는 이 임대 사업에서 큰 이득을 보지 않았어. 정확히는 이득을 볼 의지가 없다고 봐야겠지.”

주로 전역한 군인이나 미혼모 등 사회적인 약자를 임차인의 우선순위로 삼았다.

“거기다 정확한 건 아니지만, 소문에 의하면 재향군인회가 운용하는 펀드가 작년에 천문학적인 손해를 봤다고 해.”

드롭이 다가오며 말하자 의아해하던 종혁은 이내 이마를 잡았다.

“서브프라임 모기지에 투자를 한 거네.”

사기만 하면 값이 오르는데 사지 않을 이유가 없잖은가.

아마 가용할 수 있는 자금의 대부분을 여기에 꼬라박았을지도 모른다.

그렇게 손해를 본 상황에서, 이젠 함부로 자금을 운용할 수 없는 상황에서 코라 인베스트먼트가 접근해 군인을 위한 사업을 하겠다고 한 거다.

손을 잡지 않을 이유가 없었다.

“그럼 그렇게 해서 실질적으로 부동산을 구매한 건가요?”

“이게 좀 복잡하기는 한데…….”

A라는 부동산을 사기 위해 10명의 투자자가 필요하다면, 이 10명을 하나의 법인으로 묶어 A를 매입하게 만든 거다.

“다만 법인의 소유주는 코라 인베스트먼트야. 그쪽에서 수익의 10퍼센트를 가져가는 대신, 세금의 일정 부분 보조와 건물 관리를 부담하고 있어.”

"그럼 투자자들에게 월급 형식으로 돈을 지불하는 거네요."

"그렇게 되면 투자자가 내야 될 세금이 엄청 낮아지지."

서로 윈윈을 하는 결과다.

코라 인베스트먼트는 수익의 대부분을 투자자에게 돌리지만 겉으로 보이는 자산 규모를 키움으로써 외부의 투자를 유치할 수 있고, 투자자는 단순 노동자에 불과하니 세금 비율이 확 낮아진다.

단돈 10달러도 아까운 이 어려운 시기에 돈을 더 많이 벌면서 세금을 적게 낼 수 있다면 좋은 일이었다.

"또 투자자에게 결정권을 줌으로써 부동산 매매도 코라가 함부로 할 수 없도록 해 놨어. 여기 표준 계약서."

몰리가 코라 인베스트먼트가 홈페이지에 공시한 계약서를 띄운다.

주욱 읽어 내린 종혁은 턱을 쓰다듬었다.

'작정하고 사기를 친다면 이것도 별 의미가 없는 거긴 한데…….'

"벤?"

종혁은 잠시 밖에 나갔다 온 벤을 봤다.

"에덤 크루거는…… 음."

수첩을 꺼내든 벤은 머리를 긁었다.

"사기로 입건된 게 몇 번 있긴 한데, 별거 없던데?"

그건 모두 이, 삼십대에 돈을 빌리고 갚지 않아서 처벌받은 거다. 32살 이후로 전과는 없었다.

"조카가 정말 이라크에서 전사한 것도 맞고."

정보원의 정보에 따르면 사생활도 모난 곳이 없다고 한다.

"대학은 뉴욕시립대. 농구 클럽에서 활동했고, 학점도 준수해. 전공은 경제학. 코라 인베스트먼트에 입사하기 전 직장에서 안 좋게 해고당했다고는 하는데, 그쪽 이야기를 들어 보니 투자자에게 너무 퍼 줘서 그랬다고 하더라고."

"퍼 줬다고요?"

"만 달러 미만의 소액 투자자들만 담당했는데, 투자자가 더 많은 이득을 가져갈 수 있도록 계약서를 수정했나 봐."

"미쳤네."

이외에는 깨끗했다. 아니, 코라 인베스트먼트에 강력 사건을 저지른 범죄자는 없었다. 대표부터 말단 직원까지.

"그래요. 흐음……."

"최, 아무래도 우리가 예민하게 받아들인 것 같은데?"

'솔직히…… 어딜 봐도 사기는 아니야.'

만약 저들이 터무니없는 수익을 보장했다면 종혁은 단번에 그들이 사기꾼임을 알아차렸을 거다.

하지만 코라 인베스트먼트가 창출하는 수익은 인건비를 제외하면 사실상 거의 없다고 봐도 무방할 정도였다. 누가 봐도 불쌍한 사람들을 위해 호의로 이런 사업을 벌이는 거다.

그런데 코가 간질거린다.

얼마 전 누가 봐도 호인이었던 엘먼 풀러를 보고 간질거렸던 코가.

종혁의 눈빛이 차갑게 가라앉았다.

* * *

"정부는 내 돈을 돌려 내라!"

"돌려 내라! 돌려 내라!"

오늘로 벌써 사흘째를 맞이하는 시위.

아직은 추운 3월임에도 지치지 않은 건지, 아니면 지칠 수 없는 건지, 그것도 아니면 이 정도 고통은 아무것도 아닌 지옥 속에서 살게 되어서인지 시위대의 목소리는 더욱 처절해졌다.

어느새 600명까지 늘어난 시위대의 숫자에 경찰과 FBI의 긴장이 높아진다.

"하아. 저 시위가 오늘로 마지막이었죠?"

"맞아. 오늘까지지. 내일부터는 불법이고."

그렇게 말하는 벤의 목소리도 착잡하다.

"다행이라면 이따가 부시장이 나와서 저들과 이야기를 할 거란 거지. 빌어먹을. 나올 거면 빨리 좀 나오지."

피에트로 보셀리의 뒤를 봐준 시장은 결국 FBI에 체포되면서 시장직을 박탈당했다. 피에트로 보셀리가 시장과 나눈 밀담, 즉 비리에 관한 증거를 모두 가지고 있었기 때문이다.

그에 시장은 변변한 항변조차 못한 채 검거됐고, 현재 부시장이 시장 대리직을 맡아 뉴욕시의 행정을 총괄지휘하고 있었다.

"쯧. 결국 정치인이 나오네요."

나와야 된다면 사태를 이 모양 이 꼴로 만든 월 스트리트의 괴물들이다. 그들이 전면에 나서서 사비를 털던 뭘 하던 해서 저 시민들의 분노를 가라앉혀야 했다.

"뭐, 서로 무슨 딜을 했겠지."

아마 다음 시장 선거에서 밀어준다거나 주지사가 되게 해 준다거나 그런 거래를 했을 거다. 그게 아니라면 솔직히 있는지 없는지도 모를 부시장이 이 자리에 나올 이유가 없었다.

'씨발. 여기나 한국이나.'

정계와 재계는 왜 이렇게 한 몸인지 모르겠다.

"설마 부시장 경호를 저희가 맡아야 하는 건 아니죠?"

"그건 다른 팀. 그런 금덩이를 고작 지원을 나온 우리에게 맡길 리 없잖아."

혹시라도 차기 시장이나 주지사가 될지 모르는 정치인을 경호하는 거다. 눈도장만 제대로 찍어도 앞으로의 공무원 생활에 도움이 될 거다.

종혁은 코웃음을 쳤다.

"난 귀찮아서 그런 건데요."

"푸흐흐. 맞아. 정치인을 경호하다 보면 예민해질 수밖에 없지."

언제 총알이 날아올지 모르는 미국이다.

만약 경호를 하다가 부시장이 테러를 당한다? 그땐 저 멀리 시골로 갈 준비를 해야 하는 거다.

'나완 상관없는 일이지만.'

애초부터 그런 일은 성미에 맞지 않았다.

담배를 문 종혁은 다시 시위대를 응시했다.

쉬어 버린 목이 곧 피를 토할 듯하지만, 저들의 외침은 멈추지 않았다.

'월 스트리트의 괴물들이라……. 뭐, 나도 그들과 다를 건 없나.'

미국의 파산에 베팅, 아니 미국을 직접 파산 일보 직전까지 몰아세우려고 하는 종혁.

'딴 돈에 반만 먹기로 하긴 했지만…….'

미국이 스스로 자초한 일이기에 종혁이 죄책감을 가질 필요는 없었으나, 저들의 모습을 보니 마음이 불편해지는 건 어쩔 수 없었다.

물론 저들 중엔 분명 80퍼센트, 100퍼센트의 대출로 방만하고 호화로운 생활을 하다 거지가 된 이들도 있을 거다.

하지만 그렇지 않은 사람들의 비율이 더 많았다.

집뿐만 아니라 평생 모은 예금과 연금까지 빼앗긴 사람들. 저들이 외치는 건 내 일평생의 노력, 그 결과물을 다시 돌려 달라는 절규였다.

"쯧."

"응? 왜 그래?"
"저 잠깐 전화 좀 하고 올게요."
외진 곳으로 걸음을 옮긴 종혁은 핸드폰을 들었다.
"예, 헨리 씨. 그 재단은 만들어졌나요?"
마이애미에서 헨리 스미스와 이야기를 나눈 복지재단.
-재단은 이미 만들어진 상태고, 본사는 마이애미 중심가의 건물을 매입했습니다. 대표를 맡아 줄 사람과는 오늘 오후 3시에 최종 미팅을 하기로 했고요.
대표는 인권 운동 쪽에서 유명한 여성이었다.
직원들도 이미 다 고용한 상태다.
"역시 CIA."
미치도록 빨랐다.
-하하하. 무슨 일이십니까?
"5억 달러를 추가로 낼게요."
-……제가 뭘 하면 되겠습니까.
"뉴욕에 지사 하나 내죠. 그리고 명함 하나만 파 주시고요."
-명함?
"집과 희망을 잃은 뉴욕 시민들을 위해 아파트와 주택을 저렴하게 제공할까 싶어서요."
그리고 전역 군인과 군인의 유가족들을 위해서도.
일단은 이렇게 시작해 경찰과 소방관까지 그 대상을 확대할 거다.
조금만 더, 이후 수확이 끝났을 때 돌려주려고 했는데

저 모습을 보니 더 이상 참을 수가 없었다.

—……감사합니다, 최. 미국을 대표해 감사하다는 말을 올립니다.

"뭘요. 친구잖아요."

—2시간 안에 연락드리겠습니다.

전화를 끊은 종혁은 멀리서 들려오는 시위대의 절규에 다시 담배를 물었다.

"후우우…… 코라 인베스트먼트가 진심인지 아닌지는 이걸로 확인이 되겠지."

종혁은 부디 그들이 진심이기를 바랐다.

"만약 아니라면……."

빠드득!

갈리는 이가 담배 필터를 물어뜯었다.

* * *

"정부는 내 돈을 돌려 내라!"

"돌려 내라! 돌려 내라!"

열어 놓은 차창을 통해 희미하게 들려오는 외침들.

신호등 앞에 멈춰 선 에덤 크루거가 담배를 물며 소리가 들려오는 곳을 잠시 응시한다.

무슨 생각을 하는 것인지 그의 눈동자가 이것저것 뒤섞인 감정들로 물든다.

빠앙! 빵!

"알았다. 간다, 가."
부웅.
차를 출발시킨 에덤 크루거가 멈춘 곳은 월 스트리트 빌딩숲의 어느 지하주차장이었다.
띠잉! 지이잉.
엘리베이터에 내린 그는 홀덤 컴퍼니, 로자야 인베스트먼트, 코가 홀딩스 등 수많은 투자회사들의 편액이 걸린 복도를 걸어 코라 인베스트먼트의 문을 열어젖혔다.
약 40평 정도의 작은 사무실.
"금은 안전 자산이라 일단 사 두면 무조건 이득을 본다니까요."
"지금 경제가 어수선하니 오히려 달러를 사는 게……."
오늘도 정신없이 바쁜 사무실.
에덤 크루거는 그 모습을 가만히 바라본다.
"아, 오셨어요. 수고하셨어요."
맞이해 주는 여직원을 향해 고개를 끄덕인 그는 자신의 자리 의자에 코트를 걸치며 입을 열었다.
"대표님은?"
"안에 계세요. 아, 대표님께서 찾으셨어요."
"나를? 알았어."
에덤 크루거는 안쪽에 있는 대표실로 향했다.
노크를 하자마자 문을 연 그.
중국계 장년인이 환한 미소로 그를 반겼다.
"왔어? 오늘은 얼마나 계약했어?"

기대가 가득한 물음에 대답 대신 들고 온 계약서를 소파에 던진 에덤 크루거는 대표실 한구석에 비치된 커피 머신에서 따뜻한 커피를 따랐다.

"오! 6만 달러!"

2만 달러, 3만 달러, 1만 달러의 계약.

"수고했어!"

피식 웃은 그는 사장의 맞은편에 앉으며 커피를 입에 가져갔다.

"재향군인회들은 좀 어때?"

해외 참전 경력이 있는 군인만이 가입할 수 있는 아메리칸 리전(American Legion)을 비롯한 재향군인회들.

"그 욕심 많은 놈들이라면 슬슬 지분 상승을 언급했을 것 같은데……."

전역한 군인의 복지 및 사회 활동을 돕기 위해 존재하기에 잇속에 밝은 그들. 풍부한 예산이 곧 전역 군인들의 원활한 복지이기에 그들은 돈에 욕심을 부릴 수밖에 없다.

아니, 고이면 썩는다는 말처럼 이젠 너무 많은 이들이 돈의 노예가 되어 버렸다.

에덤 크루거는 냉소를 터트렸다.

"이 시기에 욕심을 부린다고요? 그런 짓을 저질러 놓고?"

아메리칸 리전처럼 영향력이 큰, 정확히는 자체적으로 펀드를 운용할 정도로 규모가 있는 재향군인회들 전부 서브프라임 모기지에 베팅을 했다가 단단히 물렸다는 건

월 스트리트의 청소부도 아는 이야기다.

"그게 전역 군인들과 전사자 유족들의 귀에 들어가면 어떻게 될 것 같습니까?"

다 같이 힘든 시기인데, 그것도 그런 죄를 저질렀는데 재향군인회가 전역 군인과 전사자 유족들에게 돌아갈 돈을 욕심낸다?

그땐 재향군인회의 뿌리부터 흔들리는 거다.

"그들은 2퍼센트로 만족해야 됩니다."

임대 수익 중 코라 인베스트먼트가 가져가는 10퍼센트에서 나눠진 2퍼센트.

즉, 코라 인베스트먼트가 8이고, 재향군인회가 2를 먹는 거다.

그들에겐 그것도 감지덕지였다.

그 말에 대표의 입에 나른한 미소가 걸렸다.

"좋군. 그럼 지금까지 얼마나 모았지?"

"2천 4백만 달러 정도요."

"쯧. 아직 멀었네. 이래서 언제 1억 달러를 모아?"

그들의 목표인 1억 달러.

이를 위해 지난 3년간 공을 들였는데, 앞으로 그 배는 더 걸릴 것 같다.

에덤 크루거는 실망하며 담배를 찾는 대표의 모습에 코웃음을 쳤다.

뭘 몰라도 많이 모르는 대표.

태생이 사냥꾼이 아니라서 그런다.

'이제부터야.'

총 2436만 달러를 투자한 889명, 뉴욕시를 비롯한 뉴욕주에 있는 889명의 전역 군인 및 전사자 유족들.

이번 달 15일, 통장에 돈이 꽂힌 889명이 전령이 되어 소문을 퍼트릴 거다.

그럼 그때부터 작년에 굴린 눈덩이가, 겨울날 눈 덮인 산에서 굴린 눈덩이가 본격적으로 커지기 시작할 거다.

"그럼 재향군인회는 문제없다고 생각하면 되는 거지?"

"있을 리가요. 그들은 절대 계약을 깰 수 없으니 걱정 마세요."

"흐흐. 믿을게."

에덤 크루거는 탐욕스럽게 웃는 대표를 보며 차갑게 웃었다.

'앞으로 길어야 8개월.'

8개월이면 지난 3년의 고생도 끝이었다.

그의 목구멍으로 짙고 검은 커피가 넘어갔다.

* * *

다음 날, 아메리칸 리전.

여러 재향군인회 중 미국의 군사 정책, 특히 군 인사와 전역 군인 복지 정책 등에 자신들의 의견을 강력하게 표현하는 단체로, 미국에선 가장 규모가 크고 영향력이 있는 재향군인회였다.

그런 아메리칸 리전의 뉴욕시 총괄 지사가 아침부터 떠들썩하다.

"크흠. 다시 말해 봐. 어, 얼마라고?"

"저, 저희 총괄 지사에만 1차로 2억 달러를 투자하고 싶다고 합니다."

뉴욕주 전체로 하면 무려 3억 달러다.

1차로 3억 달러.

2차, 3차까지 합하면 얼마나 큰 액수가 될지 모른다.

"오, 맙소사."

뉴욕시에 분포된 아메리칸 리전의 지사들을 총괄 관리하는 자신들마저도 감히 쉽게 볼 수 없는 액수에 뉴욕시 총괄지사장인 덩치 큰 노인 헤밀턴 오하마의 검은 피부가 빨갛게 달아오른다.

현재 가용할 수 있는 예산이 바닥을 드러낸 지금 상황에선 가뭄에 단비와 같은 구원이었다.

'기빙이라…….'

아메리칸 리전의 정보망을 동원해 알아본 복지재단 기빙(giving). 단체명이 심플하다 못해 너무 노골적인 이곳의 설립 자금이 무려 15억 달러다.

대표는 그도 이름을 들어 본 인권운동가.

흑인, 백인 가리지 않고 이 미국 사회에서 소외받는 이들의 목소리를 대표하는 인물로 특정 인종이나 성별, 직종을 가리지 않고 모두를 대변하다 보니 오히려 후원을 잘 받지 못했다.

지독히도 가난한 것도 있지만, 후원금을 허투루 쓸 수 없다며 도시와 도시, 주와 주를 이동할 때 자전거를 타는 고지식한 인물.

분명 이 인권운동가 뒤에 돈이 많으면서도 세상에 드러나기 싫은 독지가가 있는 거다.

'그것도 CIA와 친분이 있는.'

설립 인가를 받을 때 CIA의 개입이 있었다고 했다. 그것도 랭리에 있는 본부의 개입이.

이 정도면 신분은 확실하다고 봐야 했다.

"CIA가 비자금을 세탁하려는 목적으로 설립한 게 아닌 이상 말이야."

"지금 로비에 도착했다고 합니다!"

"알았어. 나가 봐. 음료도 종류별로 다 준비해 주고."

"예!"

헤밀턴은 비서가 나가자 옷매무새를 가다듬었고, 곧 안경을 쓴 종혁이 사무실 안으로 들어왔다.

"반갑습니다. 아메리칸 리전 뉴욕시 총괄지사장 헤밀턴 오하마 대령입니다. 정확히는 전 대령이죠."

"하하. 아메리칸 리전은 직원을 비롯한 임원들까지도 모두 군인이라더니 그게 정말인가 보군요. 기빙 뉴욕지사 투자사업부의 치프인 최종혁입니다."

헤밀턴이 눈을 빛낸다.

'이렇게 어려 보이는데 한 부서의 치프라고?'

범상치 않은 능력을 지녔다는 증거다.

"크흠. 자리에 앉으시죠. 음료수는 어떤 걸로?"
"따뜻한 커피가 있다면 부탁드리겠습니다."
"여기 따뜻한 커피로 두 잔."
"예, 지사장님."
종혁은 헤밀턴이 권하는 자리에 앉았고, 이내 곧 커피가 나왔다.
"피차 서로 바쁜 사람들이니 바로 본론으로 들어갈까요?"
종혁의 말에 헤밀턴이 고개를 끄덕였다.
"저도 그게 편합니다."
"역시 군인 출신이시라 허례허식을 싫어하시는군요."
"하하. 제 장점이자 단점이죠."
고개를 끄덕인 종혁은 들고 온 가방에서 투자 제의서를 꺼내어 내밀었고, 그것을 받아 살핀 헤밀턴은 살짝 놀랐다.
어디서 많이 본 사업 아이템.
종혁은 그런 기색을 눈치챘지만 모른 척 입을 열었다.
"보셨다시피 저희 투자사업부는 뉴욕에서 임대 사업을 벌일까 합니다."
그 대상은 군인 및 전사 군인의 유가족.
"그러나 기존의 임대 사업과는 다른 종류입니다. 퇴역한 군인 및 전사한 군인의 유가족에게 투자를 받아 그들에게 돈을 돌려주는 거니까요."
"흐음. 그렇군요."
"이번 사업은 요점은 이겁니다. 리스크의 최소화와 바로 아메리칸 리전의 참여."

흠칫!
아메리칸 리전의 참여란 말에 헤밀턴의 눈동자가 종혁에게로 향했다.
"……일단 리스크의 최소화에 대한 부분부터 들을 수 있겠습니까?"
돈에 관련된 이야기가 나오자 그의 표정이 냉랭해진다.
"당연하죠. 저희 기빙은 이번 사업에서 매매할 부동산의 투자금 절반에 해당하는 액수를 부담할 예정입니다."
"……그럼 자연스레 투자자가 될 저희 회원들의 수익이 적어지겠군요."
투자한 만큼 수익을 받아 가는 것은 당연한 이치.
투자자들 입장에서 투자금의 절반만 투자하면 되는 대신, 당연히 수익도 절반만 받아 가게 될 터였다.
리스크의 최소화라고는 했지만, 사실 공통 투자에 불과한 느낌이었다.
그에 헤밀턴의 미간이 좁혀지자 종혁이 고개를 가로저었다.
"그건 아닙니다."
"아니라고요?"
종혁은 잔잔한 미소를 지으며 한 장의 서류를 그에게 내밀었다.
그리고 그것을 확인한 헤밀턴은 두 눈을 크게 떴다.
"맙소사…… 이게 가능한 겁니까?"

"헤밀턴 씨, 저흰 복지재단입니다."
종혁이 여기서 수익을 볼 생각이 아예 없었다.
아니, 이는 사죄의 선물이기에 일정 수준의 마이너스도 감수하고 있었다.
"아……."
복지재단. 그 단어가 이들의 이런 퍼 주기를 이해시키고 만다.
"그리고 확보한 건물의 지분 40퍼센트는 저희가 가져갈 거고, 10퍼센트는 아메리칸 리전에 양도할 생각입니다. 무상으로."
벌떡!
헤밀턴이 경악하며 일어선다.
"어, 어째서……."
상식적으로 이해가 되지 않는 일이었다.
수익금이야 양보할 수 있다고 치지만, 50%의 투자금을 내고 40%만 지분을 가져가겠다는 건 도무지 이해할 수 없었다.
어떤 건물을 사게 될지는 모르겠지만, 매매가의 10%면 결코 적은 액수는 아닐 터였다.
종혁은 안경을 추켜세우며 복잡한 시선을 보냈다.
"음. 아메리칸 리전이라면 이미 저희 대표님 뒤에 누군가 계시다는 걸 알아차렸겠죠."
"……변명하진 않겠습니다."
"저희 기빙의 진짜 주인께서는 한국의 이민자 출신으

로, 평소에 이 나라에 참 많은 빚을 졌다고 말하시는 분입니다. 그중 특히 미군에게 빚을 졌다고 하셨죠."

미군이란 단어에 헤밀턴은 깨닫는 부분이 있었다.

"한국전쟁……."

한국에선 6.25라고 말하는 참혹한 전쟁.

아름다운 강산이 있는 한국을 남과 북으로 가른 그 참혹한 전쟁.

"그때 이민을 오신 분인가 보군요."

"그 부분은 노코멘트하겠습니다. 아무튼 미국에 이런 마음의 부채를 가지고 계신 그분께서 얼마 전 말기 암을 선고받으셨습니다."

"저런…… 빠른 쾌유를 빕니다. 그래서……."

"예. 자신이 여태껏 이 미국에서 번 모든 수익을 사회에 환원하시고자 하는 겁니다. 이후 저희 투자사업부는 경찰과 소방관 등 시민을 위해 목숨을 내놓고 희생하는 이들에게까지 사업의 범위를 넓힐 예정입니다. 한국에서도 이 사업을 함께할 파트너를 선정해 놓은 상태고요."

"으음……."

"또한 이번 사업에서 받아들일 세입자는 주로 소외받는 이들이 될 겁니다."

"소외받는?"

"이번 서브프라임 모기지 사태로 인해 집과 예금, 그리고 직장과 연금을 잃어버린 사람들."

"헛!"

“그들을 최우선 순위로 받아들일 예정입니다.”
“그, 그럼 월세도 상대적으로 저렴해지겠군요?”
“다 같이 어려운 시기에 군인과 경찰, 소방관들만 이런 지원을 받게 되면 분명 말이 나올 테니까요. 그런 흑색비난이 나오지 않도록 차단할 생각입니다. 전부 아니면 전무. 그게 그분의 좌우명이십니다.”
“오, 하느님.”
천사다. 성인이다.
기빙의 진짜 주인은 하늘이 이 땅에 내린 성자였다.
종혁은 거의 넘어온 그를 향해 손을 내밀었다.
“어떻게…… 저희와 뜻을 함께하시겠습니까?”
종혁의 손을 보는 헤밀턴 오하마의 눈이 파르르 떨렸다.

(회귀 경찰의 리셋 라이프 22권에서 계속)